de Bibliotheek

Breda   Haagse Beemden

D0409708

GROETEN UIT LONDEN

Joyce Pool

Groeten uit Londen

Lemniscaat  Rotterdam

Voor mijn lief Pip

© 2007 Joyce Pool
Nederlandse rechten Lemniscaat b.v. Rotterdam 2007
ISBN 978 90 5637 943 8

Niets uit deze uitgave mag worden verveelvoudigd en/of openbaar gemaakt door middel van druk, fotokopie, microfilm, geluidsband of op welke andere wijze ook, zonder voorafgaande schriftelijke toestemming van de uitgever.

Omslagontwerp: Marleen Verhulst
Druk: Drukkerij C. Haasbeek b.v., Alphen aan den Rijn
Bindwerk: Boekbinderij De Ruiter b.v., Zwolle.

Dit boek is gedrukt op milieuvriendelijk, chloorvrij gebleekt en verouderingsbestendig papier en geproduceerd in de Benelux waardoor onnodig milieuverontreinigend transport is vermeden.

BIBLIOTHEE⟨·BREDA
Wijkbibliotheek Teteringen
Scheperij 13
tel 076 - 5878811

Zoals altijd heb ik ook bij het schrijven van dit verhaal adviezen gekregen van diverse mensen. Ik noem hier mijn kritische lezers: Jacques en Annemarie Deppe, Rabia el Haddaoui, Ilhame Bachao, mijn schrijfmaatjes Barbara, Syl, Marga en Emmy natuurlijk, Pip Barnard en mijn immer beste criticus Michelle.
Dank jullie wel allemaal.

'We are all a part of God's great big family,
And the truth, you know, love is all we need.'

We Are the World
Michael Jackson & Lionel Richie
USA for Africa

.

PROLOOG

JAMAL

'See you later!' Het klinkt als een dreigement. Detective Waiter laat de deur half openstaan terwijl hij het kamertje verlaat. Expres, vermoedelijk. Om me te laten voelen wat vrijheid is. Dat sommige mensen zomaar op kunnen staan zonder dat iemand ze bij hun schouders grijpt en omlaag duwt. Dat sommigen vrij zijn om naar de deur te lopen, die open te duwen en vrijwillig een ruimte te verlaten.

Krijg de klere allemaal! Ik zet mijn coolste blik op en tik ritmisch met mijn vingers op de tafel. Mij krijgen ze niet. In ieder geval niet zo dat ze het zullen merken.

Door de halfopen deur zie ik een paar agenten bij een drinkwaterautomaat staan. Ze draaien zich om om naar mij te gluren. 'It's him,' hoor ik zeggen.

Ik onderdruk de neiging om mijn tanden te laten zien als een agressieve hond. Yes, it's me. The world's number 1 terrorist. The new Osama.

De naam Osama doet me denken aan Sanne, hoewel de voorstellingen die ik van beiden heb totaal van elkaar verschillen. Sanne, mijn lief.

Volgens de kalender die hier aan de muur hangt, is het vandaag 21 januari. Vorig jaar viel die datum op een vrijdag. Geen ongeluksdag voor mij. Die avond in The Element liet Sanne voor het eerst toe dat ik haar meetrok naar een donker hoekje en haar vol op haar mond zoende. Vorig jaar op deze dag noemde ik haar voor het eerst habibi.

9

Habibi Sanne. Mooie, lekkere, zachte Sanne.

Normaal gesproken zou ik vanavond iets leuks met haar gaan doen. Naar een pizzeria. Een filmpje pakken. Onder haar dekbed duiken en onze handen het spelletje laten spelen *ik voel, ik voel wat jij ook voelt en het is…*

Maar het is niet normaal. Ik ben niet bij haar. Zij is niet bij mij. En de leren hanger die ik die eerste dag in Londen voor haar heb gekocht, zal nog God weet hoe lang in de dikke politie-envelop met mijn naam moeten blijven zitten. Naast mijn portemonnee, mijn mobiel en het wegwerpfototoestel waarop nog maar één enkele foto staat: duffe klasgenoten onderweg naar het land van Shakespeare.

De knappe vrouwelijke agent werpt me een scheve blik toe voordat ze achter Waiter aan gaat.

Bye love, denk ik. Later.

Shit! Steeds verder dringt de taal van de vijand mijn leven in. Mijn gedachten ook al. Ik probeer me er uit alle macht tegen te verzetten. Ik bedoel: elke avond in je eentje hardop scènes van Het Schnitzelparadijs declameren – dan moet je wel ranzig wanhopig zijn, niet? Zo voel ik me dan ook. Verrekte ellendig en wanhopig, al probeer ik mijn gevoelens zoveel mogelijk te verstoppen voor die lui hier.

En aangezien hier, in tegenstelling tot wat je altijd hoort over gevangenissen, geen televisie te bekennen valt in mijn cel, moet ik het doen met herinneringen. Het Schnitzelparadijs is toevallig de film die het best in mijn hoofd zit. Het is Sannes favoriet. Of eigenlijk is Mimoun Oaïssa Sannes favoriet. Hoe dan ook, in de maanden voor ik hier belandde heb ik de film waarin hij de hoofdrol speelde zeker zes keer zitten meekijken. Vijf keer te veel als je een fotografisch geheugen hebt als ik.

De deur gaat weer open. 'Get up,' zegt de agent die Jack heet. 'You're going back.'

'Back home?' vraag ik, zoals elke dag sinds dinsdag.

'To prison,' antwoordt hij kortaf. Ook zoals elke dag sinds dinsdag.

Ik zucht, kom overeind en steek tergend langzaam mijn armen door de mouwen van mijn jack. Niet erg indrukwekkend als protestactie, geef ik toe, maar een van de weinige manieren die tot mijn mogelijkheden behoren.

Het busje met de geblindeerde ramen staat met open deur klaar voor het sombere gebouw. Even aarzel ik voordat ik erin stap. Vanuit mijn ooghoeken speur ik de omgeving af. Zal ik het doen? Een poging wagen? Om mijn verkeringsjubileum een feestelijk tintje te geven?

'Get in!' Mijn geüniformeerde oppas duwt me tegen de bus aan. Kans verkeken. Ik stap in en til uiterlijk cool maar inwendig briesend als een wilde Spaanse stier mijn rechterhand op. De handboei aan het dak van de bus wordt om mijn pols gesloten. We beginnen te rijden. Terug naar de cel. Terug naar het hok van acht vierkante meter waarvan ik elke vieze vlek en iedere kreet van frustratie op de muren inmiddels kan uittekenen.

En ik had er zo'n zin in, in onze werkweek naar Londen.

❦

JAMAL

'Kan iedereen me verstaan?' galmt de stem van Klinkenberg door de bus.

'Niet te missen!' Vincent met zijn irritante schelle stem. Die boort zich overal doorheen. Zelfs als hij fluistert verstaat de andere kant van de klas hem nog.

'Mooi zo.' Carien Klinkenberg lacht. 'Ook fijn dat juist jij het antwoord geeft, mister Van Boeren. In de klas mis je mijn woorden nogal eens.'

'Yes!' Ik gooi mijn vuisten in de lucht. Elke keer dat iemand die malloot z'n plek wijst, vier ik een klein feestje.

'Jim is ook wakker, hoor ik,' zegt Kees van Kolk.

'Valt mee, hè Kees!' Ik steek mijn duim naar hem op en grijns hem toe, vastbesloten deze reis zijn sarcasme te negeren.

'Allemaal erg fijn,' gaat Carien verder. 'Maar nu serieus. Het is nog een heel eind naar Londen – even een paar regels om de rit voor iedereen leefbaar te houden.'

'Voeten van de bank, Jim!' roept Vincent.

Ik ram hem tegen zijn schouder.

'Dat is één,' zegt Carien. 'Gedraag je normaal, zoals je thuis ook zou doen.'

'Thuis…' begint Vincent voor de hand liggend.

'Ja, Vincent,' onderbreekt Van Kolk hem. 'Thuis mag jij dat allemaal. Daarom proberen we jou hier een beetje op te voeden.'

Gejoel.

'Ach man.' In een gemaakt gebaar van frustratie zakt Vincent onderuit met zijn armen over elkaar.

'Luister nou even jongens,' zegt Klinkenberg. 'Dan kan ik ook weer gaan zitten. Inderdaad voeten van de bank, afval in de plastic zakjes aan de stoel voor je, geen troep maken, niet schreeuwen, je muziek niet zo hard dat een ander er last van heeft, niet gaan lopen en hou die voetbal van je in je tas, Jim.'

Hoe weet zij dat ik...

'Heb je wel eens eerder zo'n ronde rugzak gezien?' vraagt Carien. 'Bovendien zet je geen stap zonder die bal. Ik bedoel...' Ze maakt een wanhoopsgebaar. 'Zelfs in *mijn* les! Frans!'

'Voor in de pauze,' zeg ik onschuldig.

'Was dat maar zo,' zucht ze.

Ik weet dat ze aan die keer dacht dat we in de klas overgooiden. Elke keer als ze haar rug naar de klas keerde om een nieuwe vervoeging van een of ander werkwoord op het bord te kalken, ging de bal naar het volgende groepje. Totdat Liselotte hem miste en hij tegen het raam kaatste. Ik had het een maand zonder bal moeten doen.

'Hoe dan ook,' zegt Carien. 'Hou dat ding in je zak.'

Vincent en ik kijken elkaar aan en beginnen te grijnzen.

'Pubertjes.' Meewarig schudt Van Kolk zijn hoofd.

'Ik hou ze hierachter wel in bedwang,' zegt Sanne luid.

'Ons lieverdje!' sneert Vincent. Hij maakt een overdreven kusgeluid in haar richting.

'Fout,' zeg ik. '*Mijn* lieverdje.'

'Ah...' zwijmelen een paar meiden.

Sanne lacht en nestelt zich tegen me aan. 'Dat dat maar duidelijk is,' zegt ze. 'Maar nu kappen met dat gelazer, Jim. Ik wil naar mijn muziek luisteren.' Ze zet haar MP3-speler aan en glijdt onderuit.

'Jij zit anders aardig onder de plak, maat,' zegt Michael achter mij. Zonder dat ik het wil raakt die opmerking me. Gelijkwaardigheid oké, maar niemand moet denken dat een vrouw mij de baas is. Zelfs niet als die vrouw Sanne Nichols heet. 'Ach weet je,' poch ik met zwaar Marokkaans accent. 'Af en toe moet je je chickiezzz wat plezieren om daar op andere momenten de vruchten van te plukken. Invezzteren, zeg maar.'

'Vuile macho…' mompelt Sanne.

'Ik dacht dat jij naar Mozart zat te luisteren,' zeg ik.

'Ik ben een vrouw,' zegt ze. 'Ik kan meer dingen tegelijk. Maar naar die onzin van jou luisteren is hopeloze verspilling van mijn energie.'

'Excuuzzz.' Ik kom half overeind en meet me opnieuw de sterke Marokkaanse tongval aan. 'Aan iedereen die me daarnet hoorde, dat was een heel foute sekzistische opmerking van me. Dat meen ik niet, verzztaan? Mijn chickie en ik staan op gelijke voet.' Ik weet dat dat is wat ze wil horen en ach, ik ben de beroerdste niet. Ik toon de binnenkant van mijn handen en haal mijn schouders op. 'Liefde is een kwestie van geven en nemen, menzzzen. Neem dat van mij aan.' Ik buig me weer opzij. 'Zo goed habibi?'

'Teiltje,' kreunt Vincent.

Ik negeer hem en leun over Sanne heen. Ik weet dat ze er werkelijk de pest aan heeft als ik me zo plat gedraag maar soms kan ik het gewoon niet bedwingen. Mijn genen, zeg maar. Mohammed, Sadi, Joesef, Kadir, oom Fouad en de mannen in het koffiehuis – ze praten allemaal zo. En niet voor de gein. Dat is de taal die ik hoor als ik niet op school ben. 'Volgens mij zijn we al bijna bij Utrecht,' zeg ik. Ik probeer de blauwe borden boven de snelwegen te lezen. 'Dat gaat snel.'

'Nog maar zeven uur reizen.' Sanne heeft haar ogen dicht. 'Waarom ga je ook niet even onderuit? Gisteren was je nog te afgepeigerd om je tas te pakken.'

'Door dat shitbaantje. Al die zeurende piepeltjes: "Dat truitje te groot, die te klein, te wijd, te smal, te lang, te kort…" Je ziet toch zo dat zo'n dik lijf niet in zo'n klein maatje gaat!'

'Wind je niet op, man.' Ze legt haar hoofd tegen mijn schouder. 'We zijn op werkweek. Een week geen wiskunde, biologie, Frans…' Ze rekt zich lui uit. 'Een week samen…'

'Hmm.' Ik kus haar op haar neus. 'Alleen jammer van al die anderen.'

'Wat maakt dat nou uit. Hier…' Ze haalt een van haar oordopjes uit haar oor. 'Neem dit. Is rustgevend.'

'Mozart?' Ik trek een vies gezicht.

'Wie dan?'

'Wat heb je?'

'Coldplay.'

'Beter.'

Uren later arriveren we bij de jeugdherberg in Londen.

'Hé mati,' zegt Vincent terwijl hij mij nogal hard op mijn rug slaat. 'Ik heb daar een veldje gezien. Effe pingelen voor we naar binnen gaan?'

'Yeah!' Ik voel me alsof ik uren met mijn benen in mijn nek in een koffer heb gelegen en verlang ernaar de spieren in mijn lijf aan het werk te zetten. Er gaat trouwens nooit iets boven een partijtje voetbal. Bijna nooit. 'Zeg dushi,' zeg ik tegen Sanne. 'Hou jij het bedje naast het jouwe voor me vrij?'

'Mij best, schat.' Sanne kriebelt door mijn haar. 'Maar ik waarschuw je: ik ben serieus van plan deze week te slapen. Ik wil alles opnemen wat we te zien krijgen zonder dat ik halverwege in elkaar stort.'

Vincent trekt een gekke bek. 'Dusseh… geen gekier, Jim. Jammer voor jou.'

'Waarom ben jij toch altijd zo verstandig?' jammer ik.

'Ik wil slagen over twee jaar,' zegt Sanne. 'En in tegenstelling tot jou krijg ik het niet aangewaaid. We moeten verslagen maken over dit hier, weet je nog? Tellen vier keer mee voor de overgang. Gaan jullie maar lekker *pingelen*, ik ga alvast wat aantekeningen en foto's maken voor mijn verslag.'

Ze sjort haar rugzak omhoog en draait zich om.

'Het is dat ze zo'n lekker kontje heeft,' mompelt Vincent terwijl hij haar nakijkt. 'Jezus, die mag er wezen, zeg!'

'Kop dicht.' Ze heeft gelijk. Zoals altijd. Ik vergeet wel eens dat Allah, de christelijke God, Jahweh of weet ik welke Superpower, mij om zijn eigen ondoorgrondelijke redenen heeft gezegend met een fotografisch geheugen. Ik zie iets, hoor iets, lees iets en sla het op op mijn interne hard disc. Het verbaast me vaak genoeg dat anderen dat niet hebben en dus echt moeten opletten of leren om een beetje behoorlijk te scoren op school.

Ik raap mijn baggy van de grond. 'Wacht even op me,' zeg ik. 'Ik wil er zeker van zijn dat ze mijn bed niet aan iemand anders geeft. Laterrr…'

We worden na een uurtje binnengeroepen door Van Kolk. Hij wil het programma van de volgende dag nog even met ons doornemen.

'Ik weet precies hoe het gaat op werkweek,' zegt hij. 'Weinig slapen, veel kletsen en nog meer gedonder. Daarom even het volgende. Morgen hebben we een inspannende dag. We beginnen in het British Museum, daar wacht jullie een speurtocht en nee: dat is geen kinderwerk. 't Zal jullie niet meevallen om de goeie antwoorden te vinden. 's Middags gaan we naar het Natural History Museum en 's avonds naar de musical Phantom of the Opera.'

'Kun je ook sterven aan een overdosis cultuur?' mompel ik tegen Sanne. 'Ik voel me nou al zwak.'

'Gewoon aan overgeven,' zegt ze. 'Geniet er nou maar van!'

'We reizen de hele dag met het openbaar vervoer,' zegt Van Kolk. 'Morgenochtend om acht uur wil ik jullie aan het ontbijt zien.'

'Acht uur?' Vincent en Michael roepen het tegelijk.

'Acht uur,' herhaalt Klinkenberg. 'Dus als je allerlei ongein uit gaat halen, zijn de consequenties voor jezelf. Wij gaan je niet dragen.'

'Zie je?' Sanne slaat haar armen om mij heen. 'Daarom wil ik op tijd slapen.'

'Heb ik je 'ns een hele nacht voor mij alleen,' fluister ik, 'moet ik nog overal afblijven ook. Hoeveel kan een man hebben?'

'De hele klas ligt om ons heen.'

'Wat kan mij die sukkels nou schelen,' zeg ik. 'Wat denk jij dat zij met hun chickies uitvreten?'

'Daar hoef ik dan weer niet bij te zijn,' repliceert ze nuchter. 'Je moet het zo zien...' Ze begint achter mijn oor te strelen. Daar ben ik erg gevoelig. Als mijn haren niet door de gel al naar de hemel hadden gewezen, hadden ze dat nu alsnog gedaan. 'Ik wil je gewoon alleen voor mezelf,' fluistert ze op zwoele toon. 'Zodat ik kan doen wat ik wil doen en me niet laat afremmen door nieuwsgierige blikken.'

'Hmm,' kreun ik. 'Ga door.'

'Zeg, kan het ook wat minder?' zegt een meisje met korte rode krullen van wie ik de naam altijd vergeet. 'Jullie zijn hier niet privé!'

'Ja,' antwoord ik direct. 'Da's een probleem. Kunnen jullie niet allemaal oprotten?'

'Ha,' zegt Vincent. 'Dat zou je willen, viezerik.'

'Hoor ik daar enige jaloezie?' vraag ik. 'Niemand wil jou maar *áls* jij een liefje had gehad...'

'Ja?' vraagt Vincent. 'Wat dan?'

'Had je je handen niet van haar losgemaakt.'

'Zijn mond ook niet,' zegt Michael. 'Om het over de rest maar niet te hebben.' Hij maakt het geluid van een zuignap die losgetrokken wordt.

'Hoeoeoeoe,' klinkt het.

'Dat is dus duidelijk?' vraagt Klinkenberg terwijl ze me een prie-

mende blik toewerpt. 'Ook Jim voor de verandering? Morgenochtend om acht uur in de ontbijtzaal. Wie er niet is, wordt door
mij persoonlijk, of als het een meisje is, door de heer Van Kolk persoonlijk, wakker gekust en naar beneden gehaald. Desnoods in zijn
ondergoed.'
Ik kreun. 'Zeg dat nou niet, Carien. Nu weet ik zeker dat Vincent
in zijn bed blijft liggen. Die laat zo'n kans echt niet lopen...'
'Hem kan ik hebben,' zegt Carien. 'Ik zal vanavond expres mijn
tanden niet poetsen, goed Vincent?'
Hij kokhalst. 'Ik ben er,' zegt hij snel. 'O yes, ik ben op tijd wakker!
Reken maar.'

Na het eten – aardappelen met een of andere smakeloze, kleffe
groente, ah nooit gedacht dat ik mijn moeder zou kunnen missen
– kunnen we nog even de stad in. Vlak bij de jeugdherberg zijn een
paar winkels open. Van dichtbij zien ze er gezellig rommelig uit,
een beetje zoals de Marokkaanse, Turkse en Surinaamse winkels uit
de Graafstraat bij ons. Overal staat of ligt wat. Groenten, koek, thee-
glaasjes, sterk geparfumeerde zeep, plastic troep... Van alles door
elkaar. Ik voel me bijna thuis. Alleen de geur is wat anders dan in
onze winkels, op een of andere manier kruidiger. Pittiger.
In de winkeltjes staan Indiase of Pakistaanse mensen. Ik herken ze
aan hun aparte purechocolade huidskleur en de lange, kleurige
doeken die de vrouwen om zichzelf heen gewikkeld hebben. De
hoofden van de vrouwen zijn zedig bedekt zoals die van mijn
moeder en mijn tantes. Ook de kleine meisjes dragen al hoofd-
doeken. Dat zie je bij ons zelden.
Half en half verwacht ik dat de mensen hier net zo slecht Engels
spreken als mijn ouders Nederlands. Maar dat is niet zo. Wanneer
ik in een soort grote garage een leren hanger koop voor Sanne
word ik te woord gestaan in het keurige Engels dat wij leren van
Jaap Kennemer.

Die avond protesteert Sanne niet heftig als ik mijn benen uitdagend bij haar onder de dekens steek. Ik zou wel achterlijk zijn als ik niet probeerde of ik nog verder kon gaan en kruip helemaal tegen haar aan. Ze laat me begaan en ik vlei mijn hoofd naast haar op het kussen. Ook al zijn we geen saints en hebben we HET echt wel min of meer met elkaar gedaan, ik heb nog nooit een hele nacht met haar in een bed gelegen.

Bij haar thuis zou het wel mogen trouwens. Haar moeder is nogal makkelijk, als ze er al is. Ze heeft me nooit laten blijken dat ik niet welkom was. Altijd, op elk moment, mag ik langskomen, blijven eten en zelfs naar Sannes kamer gaan.

Bij mij thuis zal eerst de wereld moeten vergaan voordat mijn vader en moeder een meisje naar mijn kamer laten gaan. Zij dromen namelijk openlijk van een traditioneel huwelijk van mij, hun oudste zoon, met een degelijk en vooral maagdelijk islamitisch meisje.

Zo uit Marokko dus.

Ik heb ze zelfs wel eens een naam horen fluisteren, Nassira of zo. Schijnt een welopgevoed – dus onderdanig – achternichtje te zijn dat ergens in een gehucht bij Oujda woont.

Nooit dus! Geen met gel besmeurde haar op mijn hoofd moet eraan denken iets met een onontwikkelde, onderdanige vrouw te beginnen, van welke afkomst dan ook. Meestal als ik erover nadenk, wil ik een vriendin met wie ik kan bekvechten, lachen en de beest uithangen. Eentje die met me doorzakt, me versiert en me haar laat versieren. Die zegt wat ze wil en die zelf ook iets wil bereiken met haar leven.

Meestal, zeg ik erbij, want er zijn momenten dat het me te gek lijkt iemand voor me te kunnen laten lopen en me als 'hoofd van het gezin' te laten gehoorzamen. 'Sanne, koffie met extra suiker!' Hup, daar komt het zonder vorm van protest aangevlogen. 'Sanne, zoek mijn boek dat ik ergens heb laten slingeren!' Yooo!

Maar als ik dan naar Sanne of de andere meiden in mijn klas kijk moet ik vaak weer snel toegeven dat een volgzame vrouw me toch onleefbaar saai lijkt.

Zelf wil ik trouwens advocaat worden. Al vanaf mijn tiende. Toen zag ik op een avond een Amerikaanse film waarin een advocaat het moest opnemen tegen een hele rijke bende zakenlui. Het verhaal zelf stelde niet veel voor. Ik was op dat moment al niet meer zo naïef te denken dat de hoofdrolspeler de strijd zou verliezen. Maar toch: het woordenspel van de advocaat, zijn handgebaren, de timing waarmee hij zijn argumenten opvoerde, het bespelen van de getuigen en de juryleden... het imponeerde me allemaal nogal en ik probeerde om bij gesprekken in de klas diezelfde trucjes toe te passen.

De meester had me snel door. Hij vond me doortrapt genoeg om werkelijk rechten te kunnen studeren. Dan moest ik op de middelbare alleen niet te veel spelen met mijn vriendjes en hard mijn best doen.

Wat dat laatste betreft had hij ongelijk: erg hard hoef ik niet te werken. Dat komt voornamelijk door dat fotografische geheugen van me. Het enige dat niet altijd meevalt is het op tijd inleveren van werkstukken. Daarom dwing ik mezelf steeds om samen te werken met mensen die de gave van plannen wel hebben, in de hoop dat ze een beetje als aandrijfmotor willen fungeren. Zo heb ik Sanne beter leren kennen. Zij is zo iemand die altijd alles op tijd voor elkaar heeft. Die keihard werkt en precies weet waarvoor: mijn schatje wil namelijk conservatorium doen en als violiste en pianiste bij een vooraanstaand orkest werken. Het liefst bij het Koninklijk Concertgebouworkest geloof ik, maar dat weet ik alleen omdat zij er wel eens over praat. Zelf heb ik dat orkest nooit horen spelen.

Voor ik Sanne kende, dacht ik trouwens dat violen alleen bespeeld werden door sukkeltjes met keurig geknipte haartjes, brillen op hun neus, perfecte maniertjes en zo. Nou lijkt Sanne vanuit de verte ook wel een beetje op zo'n sukkeltje – nooit een haartje verkeerd, tegen iedereen eng beleefd en op haar neus staat ook een bril. Maar die bril heeft coole bruine glazen en haar haren lijken op die van Jennifer Aniston. Daar heeft ze sowieso veel van weg. Behalve dan die sproeten op haar neus. Maar daar hou ik van, lichtbruine sproeten op een lichte huid.

Eigenlijk is Sanne gewoon het lekkerste stuk van de hele school.

Ik laat mijn hand over haar lichaam glijden. Haar huid is warm, glad en zacht onder de stof van haar nachthemd. Mijn pik wordt hard.

'Niet doen,' fluistert ze. 'De anderen.'

'Die kunnen toch niet zien wat ik hier onder de dekens doe?' fluister ik terug. 'Ik zal echt niet hardop gaan kreunen.'

Ze giechelt zoals zo vaak, maar toch draait ze zich op haar zij met haar rug naar me toe. 'Kom loverboy van me,' zegt ze. 'Laten we gaan slapen.'

Even voel ik irritatie opkomen. Voelt ze dan niet hoe ik naar haar verlang? Dat ik niets liever wil dan haar? Dit is dus zo'n moment dat een onderdanige vrouw me zo gek nog niet lijkt.

'Hee schat.' Alsof ze mijn gedachten voelt, draait ze zich even terug en kust me op mijn wang. 'Niet boos zijn. Kom, sla je arm om me heen. Morgen moeten we weer vroeg op.'

Ik zucht. 'Waarom heb ik toch altijd het idee dat jij het verstandigst bent?'

'Omdat ik dat in werkelijkheid ook ben.' Ze lacht. 'Ik ben het levende bewijs dat blond niet synoniem is met dom.'

Ik duw mijn neus in haar haar en ruik kruidenshampoo. 'Hmmm.' Ik voel me weer groeien.

'Wacht,' zegt ze en grijpt onder haar kussen. 'Ik ga je hypnotiseren.' Ze duwt de oortjes van haar MP3-speler in mijn oorschelpen en zet hem aan. 'Mozart,' fluistert ze. 'Luister maar gewoon. Word je slap van. Overal…'

Hoewel ik dat betwijfel zolang ik haar zo dicht bij me voel, geef ik het op en luister naar een pianoconcert van de mafkees die zich erin heeft laten luizen door een of andere Oostenrijkse hofcomponist.

Volgens de film die we voor CKV moesten bekijken tenminste.

Zijn harige been glijdt langs het mijne onder de deken. Ik vind het niet erg. Integendeel: op de een of andere manier maakt zijn aanraking dat ik me veilig voel. En dat heb ik wel nodig. Al die vreemde geluiden om me heen van ademhalende, zuchtende en draaiende klasgenoten maken me onrustig. Ik ben geen achtergrondgeluiden gewend. Thuis hoor je nauwelijks iets anders dan wat vaag geschuifel van de koeien van de buurman. En een heel enkele keer wat geloei wanneer een van de dieren moet kalven.

Ik heb geen broertjes of zusjes. Tineke vond dat ze haar plicht had gedaan toen ik geboren was en gezond bleek. Soms mis ik dat wel, anderen van mijn leeftijd om me heen thuis. Het lijkt me, stom genoeg, heerlijk om af en toe ruzie te kunnen maken over dingen die er eigenlijk niet toe doen.

Bij ons thuis is nooit ruzie. Romme is al lang geleden vertrokken om een bedrijf op te zetten in het verre oosten of zoiets. Af en toe komt hij nog langs en dan zijn Tineke en Romme altijd ijselijk beleefd tegen elkaar. Ik heb me wel eens afgevraagd of ze elkaar wel aardig vinden. En hoe ik tot stand gekomen ben, dat zou ik ook graag willen weten. Misschien dat ze op een avond allebei te veel hadden gedronken en niet meer wisten wat ze deden...

Geintje.

Aan het voeteneinde van mijn bed staat een foto waarop ze elkaar heel verliefd aankijken. Ik zit tussen hen in met een vieze mond en het konijn dat mijn favoriete knuffel was.

Die tijd kan ik me zelf niet meer herinneren. Mijn eerste herinnering is aan Anna, de au pair. Zij zorgde voor mij, ze kookte en speelde met me. Mijn eerste woordjes waren niet mama of papa, maar 'tiet sjoe-et' – in goed Frans petite chouette. Zo noemde Anna mij.

Ik had wel altijd vriendinnetjes op school. Maar omdat ik een heel stuk buiten de stad woon, kwamen die niet veel bij mij. En toen ik fanatiek viool ging oefenen ging dat meestal voor het spelen. Zo zag mijn leven eruit: veel viool spelen, naar school gaan, uitvoeringen geven, huiswerk maken, af en toe feestjes of etentjes met de collega's van mijn moeder en slapen.

Beetje saai als ik er nu over nadenk, maar toen deed ik dat niet.

Jim zit al vanaf de eerste van de middelbare school in mijn klas. Ik sprak in het begin zelden met hem, hij ook niet met mij, maar ik vond hem wel leuk. Gewoon omdat hij anders was dan de anderen: de eerste dagen nogal stil maar al heel snel de leider van de klas. Ook heel sportief en op een grappige manier uitsloverig. Op een of andere manier lukte het hem steeds kinderen bij zijn bezigheden te betrekken die eigenlijk liever op de achtergrond bleven. Hij haalde bijna altijd de hoogste cijfers van de klas zonder dat ik ooit merkte dat hij daar erg veel moeite voor deed. Sommige figuren, zoals Rogier en Mark die in de derde klas zijn blijven zitten, waren jaloers op hem en deden erg veel moeite om hem neer te sabelen. Op een keer beschuldigden ze hem van onsportiviteit bij gym. Hij zou Rogier op een grove manier onderuit hebben gehaald bij het basketballen. Helaas voor hen was Jim toen al zo populair dat niemand hen geloofde.

Overigens noemden we hem in het begin nog geen Jim. Maar toen we op een dag een invalleraar kregen die aan hem vroeg hoe zijn naam precies uitgesproken moest worden, schreeuwde Vincent door de klas: 'Noem hem maar Jim, dat doen wij allemaal.' Dat was dus niet waar, maar vanaf die dag is het wel zo gebleven. Ik

25

denk dat er zelfs mensen zijn die niet eens weten dat Jim niet zijn werkelijke naam is.

Toen Jim in de derde klas vroeg of ik met hem wilde samenwerken aan een project voor aardrijkskunde, aarzelde ik geen moment. *Hij* was goed, *ik* was precies – een perfecte combinatie.

Het samenwerken ging zelfs zo goed dat we ons, toen we ruim op tijd klaar waren, een avondje naar The Element veroorloofden om onze samenwerking te vieren. En wat ik nooit verwacht had gebeurde: hij trok me mee naar een plek schuin achter de bar, waar wat grote banken stonden en de verlichting gedimd was. Op een van die banken zoende hij me zacht op mijn mond en streelde mijn wang zo zacht dat het leek of een vlinder me per ongeluk met zijn vleugels raakte. Nooit eerder had ik zoiets liefs en teders gevoeld. Bijna officieel vroeg Jamal me of ik verkering met hem wilde. Niet met die woorden, trouwens. Ik weet niet meer hoe hij het precies verwoordde. In elk geval was hij zo, alleen met mij, anders dan ik hem ooit had gezien. Verlegen bijna. Onzeker misschien. Ik kon niet anders dan giechelen.

Natuurlijk zei ik ja. Ik wilde dat hij bij mij hoorde, vond dat iedereen dat mocht zien. Ik wilde genieten van alles wat hij wist, hem laten horen hoe het klonk wanneer ik viool speelde. En vooral wilde ik hem meenemen naar mijn huis en voorstellen aan Ineke, mijn moeder.

Geen flauw idee hoe zij tegenover een Marokkaanse jongen zou staan. Maar ik verwachtte geen problemen en die kwamen er ook niet.

Ze vond hem aardig, grappig en slim. Precies zoals ik hem vind.

Dat is nu bijna een jaar geleden gebeurd. Een jaar! Zo lang zijn we al samen. En in die tijd hebben we ons echt niet gedragen als kuise engeltjes. Ik weet hoe Jim eruit ziet onder zijn kleren, zeg maar. Maar dat betekent niet dat ik zo vrij ben dat ik midden tussen mijn klasgenoten met hem ga liggen vrijen. Moet er niet aan denken, zelfs. Ik zou voortdurend bang zijn dat iemand ons zou horen of zien.

Tegen mijn rug voel ik zijn borst onrustig op en neer gaan. Warme ademstootjes kietelen mijn nek. Een hand glijdt over mijn heup.

'Probeer te slapen, vriendje van me,' fluister ik.

'Makkelijk gezegd,' moppert hij in mijn oor. 'Ik geloof niet dat mijn lichaam zich zo snel gewonnen geeft.'

'Wacht maar.' Ik rommel even onder mijn kussen en haal mijn MP3-speler tevoorschijn. Van pianomuziek van Mozart word ik zelf ook altijd rustig. 'Luister hier maar naar. Als dit niet helpt, weet ik het ook niet meer.'

Ik weet niet of hij erg blij is met mijn aanbod, maar hij doet de dopjes zonder sputteren in zijn oor, draait zich op zijn rug en sluit zijn ogen.

Bij de vage tonen van Rondo alla Turca uit de dopjes in de oren van Jim voel ik me langzaam wegsoezen.

JAMAL

Het dreigement van Carien heeft geholpen: iedereen zit op tijd aan het ontbijt. Zelfs ik heb het gevoel dat ik redelijk fit ben, hoewel ik midden in de nacht wakker werd van Sannes lichaam tegen het mijne en delen van mijn lijf daarvan in opstand kwamen.

'Jongens, nog even,' zegt Carien voordat we opstaan om weg te gaan. 'We gaan met het openbaar vervoer en zijn met een behoorlijke club. Laten we afspreken dat als je de bus mist of de rest kwijtraakt, je zelf naar de volgende locatie gaat. Schrijf de tijden van de verschillende afspraken op een papiertje en noteer ook even de buslijnen die je moet hebben.'

'En de mobiele nummers,' zegt Van Kolk. 'Laten we de nummers vastleggen van iedereen van wie het mobiel werkt in dit land. Ik stuur een lijstje rond.'

Nadat al die dingen geregeld zijn, lopen we naar de bushalte voor ons eerste uitstapje van die dag. Van Vincent kun je niet zeggen dat hij een ochtendhumeur heeft. Luid zingend loopt hij door de straten.

'Zeg, hou je kop eens een kwartier,' zeg ik. 'Speelt je ADHD weer op?'

Hij onderbreekt zijn gezang voor een moment. 'Slecht geslapen, mati? Moet je maar niet tot in de kleine uurtjes met je vriendin vozen.'

'Man, wat weet jij daarvan,' zeg ik. 'Ik ben toevallig met Mozart ingeslapen.'

'Dat verklaart die stank van je. Die kerel is toch al een tijd kassiewijle?' Hij werpt een blik op Sanne. 'Als ik zou mogen kiezen tussen Mozart en haar, zou ik het trouwens wel weten.'

'Barbaren,' zegt Sanne. 'Kunnen jullie niet met wat meer respect over een van de grootste componisten uit de geschiedenis spreken?'

'Excusez-moi, madame la violiste,' zegt Vincent. 'Ik vergat even dat jij alles van die grapjas weet.'

Op dat moment komt de bus aanrijden. Tijdens de voorbereiding op deze reis hebben we een film gezien over Londen en de musea die we gaan bezoeken. Op die film zagen we voortdurend van die hoge rode bussen door het beeld rijden. Dubbeldekkers. Ik had verwacht nu ook in een dubbeldekker terecht te komen. Leek me tof. Bovenin, voorin. Maar dat valt tegen. Wij krijgen gewoon zo'n saai geval als we in Deventer ook hebben.

Toch valt het tochtje met z'n allen niet tegen. We zien bij bushaltes mensen in kaarsrechte rijen staan wachten en Carien roept dat we goed moeten kijken omdat ze dit volgend schooljaar bij het binnengaan van het lokaal ook zo wil organiseren.

'Ja hoor,' roep ik naar haar. 'Welterusten, schat.'

Ik kan de klap van Sanne nog net ontwijken.

Ik heb al veel gehoord over het British Museum maar aangezien ik niet zo geïnteresseerd ben in kunst, geschiedenis en musea in het algemeen verwacht ik er niet veel van. Toch merk ik dat ik direct onder de indruk raak van het imposante gebouw met de pilaren. Door de hoogte en het massieve van de pilaren voel je je miezerig, een onbeduidend detail in de wereld, en zonder dat je ooit binnen bent geweest in het gebouw achter die ingang weet je met elke vezel van je lichaam dat daarbinnen iets bijzonders te aanschouwen valt.

En dat is er ook echt. Sommige afdelingen raken me. Ik weet niet waardoor ik me precies laat verleiden: de wetenschap dat de voorwerpen hier duizenden jaren oud zijn, de schoonheid van bepaal-de stukken, de liefde en het vakmanschap waarmee ze duidelijk gemaakt zijn, het feit dat de plaatjes uit mijn geschiedenisboeken tot leven komen… Of misschien toch het feit dat ze in dit indruk-wekkende gebouw staan.

'Interessant hè,' zegt Sanne als we samen voor de Steen van Ro-setta staan. 'Weet je dat men hiermee de hiërogliefen heeft kun-nen vertalen?'

'Ja, hè,' reageer ik kortaf. 'Dat leerden we al in de tweede klas.' Soms kan ik er niet zo goed tegen. Dingen die iedereen hoort te weten omdat ze ooit tijdens lessen zijn behandeld, worden dan herhaald alsof we vergieten zijn waarin alleen de grote brokstukken blijven hangen. Mensen die me niet zo goed kennen hebben daar bij mij speciaal een handje van. Ze zien mijn kop, denken: hé, een Marok-kaan, of een Turk. Die zal ik wel eens haarfijn uit gaan leggen hoe de wereld in elkaar zit. Regelmatig doe ik me dan voor als een of andere achtergebleven sukkel met een spraakgebrek, totdat ik mijn slag kan slaan en met een opmerking kom waarmee ik die anderen met stomheid sla. Iets als: 'In het kader van de wereldomspannen-de activiteiten van de vaderlandse hockeyfederatie meen ik te moe-ten vaststellen dat het nauwelijks meer gerechtvaardigd is te spre-ken van "vaderlandse". Het dient daarom zeker een doel deze term te heroverwegen en te komen tot een meer passende definiëring.' De verblufte gezichtsuitdrukkingen, ahhh… Daar kan ik dan weer dagen op teren.

Natuurlijk weet ik dat Sanne niet zo betweterig is en ik zie direct aan haar gezicht dat ik te bot ben geweest. 'Sorry,' zeg ik. 'Dat bedoelde ik niet zo.'

'Zeg het dan ook niet zo!'

Waarmee ze een makkelijk punt scoort.

De Steen van Rosetta valt me trouwens een beetje tegen; uit de plaatjes in de lesboeken maakte ik op dat hij veel groter was. Persoonlijk ben ik meer geïmponeerd door de mummiekisten. Sommige zijn zo gedetailleerd bewerkt dat het moeilijk is voor te stellen dat ze zo immens oud zijn. Ik vind het ook een spannende gedachte dat er een mens in heeft gelegen die ooit in een totaal andere beschaving heeft geleefd. In een wereld met mensgeworden goden en geheimzinnige vloeken.

Stel je voor dat ze nu wakker zouden worden en dat drukke lawaaiige verkeer in de straten van Londen zouden zien, het grijze beton overal... Of alle mensen die over hen heen gebogen staan terwijl ze verwachtten dat hun kist eeuwig in de zorgvuldig uitgezochte tombe zou blijven staan. Volgens mij is het genoeg om onmiddellijk een hartstilstand te krijgen en weer voor lijk in je kist te zakken.

Ik ben nog lang niet uitgekeken en aan de speurtocht ben ik helemaal niet toegekomen als Sanne aan mijn mouw trekt.

'Over een kwartier moeten we buiten staan. Ik zoek nog even snel een wc op. Loop je mee?'

Daar heb ik eigenlijk niet zoveel zin in. Liever blijf ik nog even bij de mummiekisten rondhangen, maar ik heb nog iets goed te maken van daarnet. 'Oké, switi, natuurlijk.'

Ik blijf wachten voor de deur bij de damestoiletten. Vincent komt langs.

'Een nieuw baantje?' vraagt hij. 'Benoemd tot opperpleedeurwachter?'

'Ik *heb* tenminste werk,' zeg ik arrogant. 'Dus niet mekkeren – ik trek geen uitkering.'

Hij slaat me op mijn schouder. 'Daar heb je gelijk in, ik zeg niets meer.' Hij knikt naar de toiletdeur. 'Duurt het nog lang? Ik zag Van Kolk al mensen verzamelen.'

Ik kijk op mijn horloge. 'We hebben nog tien minuten. Ze zal zo wel komen.'

'Zie ik je zo buiten. Laterrr…'

Ik kijk hem na. In de eerste weken van mijn eerste jaar op het vwo had ik vaak ruzie met hem. Ik was een nogal klein mannetje en voelde me alleen zonder mijn vriendjes van de basisschool. Vincent had een heleboel vrienden die hem zo ongeveer op handen droegen. Samen voelden ze zich sterk, haalden ze geintjes uit met de leraren en meiden uit de klas. Mij lieten ze een beetje aan de kant staan. Niemand kwam naast me zitten. Bij gym werd ik steevast als laatste gekozen. Niet omdat ik slecht was maar omdat ze mij niet kenden.

Omdat ik als enige Marokkaanse jongen in de klas anders was dan al die witte bleekscheten met hun sjieke ouders en hun dure asobakken.

Maar dat was voor de kerstvakantie van dat jaar al veranderd. Mijn klasgenoten, met Vincent voorop, ontdekten mijn 'voetbaltalent' en mijn durf en ik werd populair. Vooral tijdens proefwerken. Toen ze eenmaal doorhadden dat ik altijd hoge cijfers haalde, werd er ineens om de plek naast mij gevochten.

De deur van de toiletruimte wordt opengeduwd. Ik verwacht Sanne, maar het is een vrouw met een snotterige peuter. Ik kijk op mijn horloge. Nog vijf minuten. Ik begin nu toch wat ongeduldig te worden en zoek om me heen naar anderen uit mijn klas. Weer enkele minuten later dwing ik me over mijn schroom heen en duw de deur van de toiletruimte open. 'Sanne?'

'Ja…' hoor ik gesmoord. 'Help, de deur klemt.'

'De deur klemt?' herhaal ik nogal stom. Voorzichtig zet ik een voet over de drempel van de dameswc. Geen idee hoe ze me dat hebben ingeprent, maar ik voel aan de tintels in mijn nek dat ik me op verboden terrein begeef. Snel kijk ik om me heen, nu met de stiekeme wens dat er niemand meer is uit mijn klas. Hier, in de dameswc's, wil ik niet gezien worden. Zelfs niet onder deze omstandigheden.

'Ja!' snauwt Sanne. 'Klemmen, weet je wel? De deur gaat niet open. Help me eruit, we moeten naar de bus!'

'Waar zit je dan? Klop even op de deur.' Ik zie voor me hoe ik aan een deur sta te rukken die even later door een boze Engelse dame wordt opengesmeten, recht in mijn gezicht.

'De laatste.'

Ik trek aan de deur en voel hoe Sanne tegelijkertijd aan de andere kant kracht zet. Zonder veel moeite schiet hij open. We hebben geen tijd om uitgebreid te zoeken naar de reden waarom hij klemde. Sanne rent langs me heen. 'Kom!' roept ze.

Ik volg. Vlak buiten de toiletten komt op z'n dooie gemakje een medewerker van het museum aansjokken met een loper in zijn hand.

'The door of a ladies' toilet sticks,' roep ik hem in het voorbijgaan toe.

'Yeahh...' klinkt het sloom. 'I know.'

Als zijn tempo van spreken tekenend is voor zijn snelheid van werken ben ik blij dat ikzelf Sanne heb bevrijd.

Ondertussen ontwijkt die zigzaggend de mensen voor ons en rent het museum uit, de trap af, in de richting van de bushalte. Maar als we daar aankomen, zien we hem juist wegrijden. Vincent drukt zijn neus nog tegen het achterraam en bonkt naar ons. Ik zie hoe zijn mond zich opent om iets naar voren te roepen – ik kan wel raden wat – maar er volgt geen reactie. De bus rijdt gewoon door.

'Great!' Ik zucht en zak op de stoeprand neer. 'Had jij niet eerder naar de wc kunnen gaan?'

'Ik kon er toch niets aan doen dat ik die deur niet open kreeg?' snauwt Sanne. 'Word jij nu ook nog boos?' Tranen wellen op in haar ogen. Ik leg mijn hand op haar arm.

'Tuurlijk niet. Wat maakt het ook eigenlijk uit,' probeer ik te troosten. 'We wachten gewoon op de volgende en genieten ondertussen van de rust.' Ik werp haar mijn vertrouwenwekkendste grijns toe en klop op de rand naast me. 'Kom naast me zitten.'

Ze doet haar best ook een lach tevoorschijn te toveren – lukt niet helemaal – en zakt naast me neer.

'Blijf vooral verdrietig,' zeg ik en kus haar op haar wang. 'Niets leukers dan een vrouw die op je schouder uithuilt.'

Nu breekt er een echte lach door op haar gezicht. 'Jij weet ook altijd overal je voordeel uit te slepen, hè?'

'Hmm,' mompel ik terwijl ik doorga met kussen. 'Azz Marokkaan heb je een paar trukiezzz nodig om overeind te blijven op deze planeet, weet je.'

'Praat normaal!' zegt ze. Maar ik zie dat ik gewonnen heb. Ze is opgevrolijkt.

SANNE

Op de een of andere manier kan ik nooit chagrijnig of verdrietig blijven in de nabijheid van Jim. Hij streelt me over mijn benen, of kust me op m'n wang of mijn haar, maakt een grap en pats, ik voel me al beter.

Toch verdwijnt het benauwde gevoel in mijn borst niet helemaal. Komt door die klemmende toiletdeur. Ik ben altijd wat angstig in kleine ruimtes. Heeft te maken met een ervaring van toen ik kleuter was. Ik speelde verstoppertje met de Franse Anna in ons grote huis. Dat deden we vaker, ik hield erg van het spel. Die keer had ik me verstopt in de bezemkast tussen emmers, muf ruikende dweilen en een kratje met schoonmaakmiddelen voor de auto. Ik was nog te klein om te bedenken dat het bijzonder dom is om in een kast te gaan zitten die alleen aan de buitenkant geopend kan worden.

Kort samengevat duurde het zeker een uur voor Anna de telefoon had opgehangen en mij had bevrijd. Sindsdien ben ik angstig in een kleine donkere ruimte. Ik kan er niets aan doen.

Godzijdank was het museumtoilet niet donker, maar evengoed vond ik het er niet fijn.

En ik vind het erg dat we de bus hebben gemist. Ik hou er niet van om ergens te laat te komen of dingen te missen. Ik vind het vervelend dat Van Kolk nu misschien denkt dat ik niet goed oplet of het tijdschema niet belangrijk genoeg vind, of het hele natuurmuseum.

'Wacht even,' zeg ik tegen Jim. Ik haal mijn mobiel uit mijn tas en begin een sms voor Van Kolk te schrijven.

'Laat toch,' zegt Jim als hij ziet aan wie ik het richt. 'Ze zien ons toch vanzelf zo meteen.'

'Ik wil dat ze weten waarom we te laat waren. Hoef ik dat straks niet meer helemaal uit te leggen.'

Hij kust me in mijn nek terwijl ik probeer me te concentreren op de woorden die ik intoets.

JAMAL

Langs de wang van Sanne zie ik een paar mannen naderen. Ze hebben de huidskleur van mensen uit India of Pakistan, een van hen heeft een volle baard, de anderen alleen wat stoppels op hun kin.

'Hi,' zegt de man met de baard. Hij torent boven ons uit en het valt me op dat hij door zijn baard een stuk ouder lijkt dan zijn ogen en zijn pukkelige huid zeggen dat hij is.

'Hi,' groet ik terug. Altijd beleefd blijven, ook al verstoren ze het intieme moment met mijn schatje.

'Been to the museum?'

'Yes.' Ik zoek nadrukkelijk opnieuw een onweerstaanbaar zoenplekje in Sannes nek in de hoop dat de boodschap overkomt. Maar nee. 'Nice, don't you think?'

Ik negeer baardmans. 'Waar gaan we nu heen?' vraag ik Sanne.

'Natuurhistorisch museum,' antwoordt ze. 'Kom, laten we vast gaan staan, de bus zal zo wel komen.'

Ik kom overeind. Dat is voor de mannen blijkbaar een teken om nog meer aandacht aan me te besteden.

'Where're you from?' Het is een van de mannen met de stoppels die dat aan me vraagt. Hij heeft een donkere moedervlek vlak boven zijn rechtermondhoek waardoor het lijkt alsof zijn mond zich voortdurend vertrekt in een brede glimlach.

'Holland,' zegt Sanne.

De man werpt een snelle blik naar haar. 'Holland? I've been there once. Nice. Nice country. Friendly people.' Ze lachen allemaal vriendelijk naar me maar het voelt niet goed en ik doe een stap naar achteren.

'Hoe laat moeten we precies in dat museum zijn?' Ik weet het tijdstip precies maar probeer te doen alsof Sanne en ik in een serieus gesprek verwikkeld zijn met serieuze vragen en hoop dat de mannen dat snappen en ons met rust laten.

'You're going to visit another museum?' vraagt de man met de baard. 'Which one?'

'Do you mind?' snauw ik feller dan ik had bedoeld.

'Jim!' zegt Sanne waarschuwend.

Voelt zij niet wat ik voel? De dreiging die van hen uitgaat? Weer vind ik het jammer dat zij niet volgzaam en gehoorzaam is. Haar scherpe toon is baardmans vast niet ontgaan en vast wel begrepen.

'O, I'm sorry,' zegt hij direct op zo'n beledigd toontje. Hij tilt zijn beide handen op en houdt ze beschermend voor zich. Alsof ik hem een karateklap heb proberen te verkopen.

'Why are you acting like that?' vraagt een ander. 'He is just being kind.'

'I just want you to feel welcome in our country,' vult de man aan op zo'n toon dat ik me bezopen genoeg nog schuldig ga voelen ook.

Sanne stoot me aan. 'Sorry,' mompel ik als de eerste de beste gladiool en kijk reikhalzend uit naar de bus.

'So, which museum now?' vraagt de man alsof hem nog steeds niet duidelijk is dat ik wil dat hij mij met rust laat.

'Natural History Museum,' zeg ik.

'O, what a coincidence,' zegt de man met de baard enthousiast. 'We're going that way too.'

'God!' fluister ik achter mijn hand.

'Stel je niet aan,' zegt Sanne. 'Ze doen toch gewoon aardig.'

'Vast…' mompel ik.

Exact twintig minuten nadat de vorige bus vertrok komt er weer een aanrijden. Hij is afgeladen vol. De Pakistaanse mannen, Sanne en ik worden naar het midden van de bus geperst. We staan bijna tegen elkaar aan.

'So, do you like London?' vraagt een van de mannen me.

'Yes. Very much,' voeg ik eraan toe om niet te bot over te komen.

'Especially the museums I understand,' lacht een van hen.

'They are great,' mengt Sanne zich in het gesprek. Ze werpt de mannen haar liefste glimlach toe. Het mag niet baten. Weer negeren ze haar.

'Is Jim your real name?' vraagt de man die zich tot nu toe wat op de vlakte heeft gehouden. Ik sta zo dicht bij hem dat ik de scherpe zweetgeur ruik die van zijn lichaam walmt. Alsof hij zich weken niet gewassen heeft. Of in bed heeft gelegen met een vis in staat van ontbinding.

'No,' mompel ik. Het kan me geen moer schelen of hij het verstaat of niet. Hij wil antwoord, Sanne vindt dat ik antwoord moet geven dus geef ik antwoord. Maar wel op mijn manier.

Hij glimlacht. 'I thought so. You're no native Dutchman, are you?'

'Help,' fluister ik met mijn mond tegen de schouder van Sanne. 'Ik wil niet met ze praten.'

'Well?' dringt dezelfde man aan. 'Am I right?'

'My parents came from Morocco,' beken ik met tegenzin. 'So, yes you're right.'

'I knew it,' grijnst de man.

Hoe moet ik aan hen ontkomen? 'Waar moeten we eruit?' vraag ik aan Sanne.

'Nog een paar haltes,' zegt ze.

'We're almost there,' zegt de man met de baard. 'Next stop is ours.' Goddank.

'I want to give you something,' zegt de kerel die geraden heeft dat ik geen volbloed Nederlander ben. Hij grabbelt even in zijn tas en geeft me een in doorzichtig folie verpakt boek. Over de stad Londen, zie ik aan de foto op de omslag. 'Because you're so interested in our beautiful city.'

'No,' zeg ik terwijl ik het weer teruggeef. 'I can't accept it.'

'It's a gift!' dringt de man aan. Hij duwt het boek zo hard tegen mijn buik aan dat ik kan kiezen: óf dubbelslaan óf het toch maar aanpakken. 'You can't refuse!'

'Gooi je het straks toch weg,' fluistert Sanne.

'Oké,' zeg ik en verwring mijn mond in iets wat voor een glimlach moet doorgaan. 'Thank you very much.'

De mannen pakken om beurten mijn hand en pompen hem alsof ik hen al jaren ken, hun allerdierbaarste vriend ben. Sanne krijgt alleen een kort knikje.

Als de bus stopt en de mannen uitstappen, heb ik het gevoel dat ik voor het eerst sinds een hele tijd gewoon lucht inadem. Geen idee waarom ik me zo ellendig voelde in hun nabijheid. Lag het alleen aan hun opdringerigheid?

'Misschien heb je hun een gelukkig gevoel bezorgd,' zegt Sanne. 'Zochten ze een beetje aanspraak. Hoe dan ook, ze zijn weg.'

'Ja.' Ik kijk naar het boek. Dat gaat de eerste de beste prullenbak in! Dan maken we een scherpe bocht, ik klap tegen de paal waaraan ik me vastklem en het boek rolt uit mijn handen. Even overweeg ik om het met mijn voet onder een stoel te schuiven en het daar gewoon te laten liggen, maar Sanne pakt het al op.

'Wat is dat?' vraagt ze terwijl ze het een beetje heen en weer beweegt. 'Hoor je dat?'

'Wat?' vraag ik.

'Moet je horen.' Ze houdt het in de buurt van mijn oor. Het boek rammelt.

'What the hell…?' Een angstig voorgevoel bekruipt me.

'Maak 'ns open?' zegt ze en duwt het in mijn hand.

Voorzichtig trek ik het plakbandje los van de folie en sla het boek open. De binnenkant met de bladzijden ontbreekt. Daarvoor in de plaats zitten er een bonk oranjeachtige klei, een batterijtje, iets wat eruitziet als een rotje met een lont en een tikkend horloge in. Ik voel me ijskoud worden. Zonder een woord te zeggen staar ik naar het pakket in mijn handen. Ik weet wat ik zie, tenminste, ik denk te weten wat ik zie. Maar ik begrijp het niet. Ik begrijp er niets van. Verbijsterd kijk ik op.

Sanne heeft haar ogen wijd opengesperd. 'Een bom…?' Ze fluistert maar de woorden klinken alsof ze zijn uitgeschreeuwd. Ogenblikkelijk valt er een doodse stilte om ons heen. De mensen in de bus kijken naar ons op. Een lang ogenblik bewegen hun ogen van ons naar mijn handen.

Dan breekt ineens de pleuris uit.

Een man en een vrouw die op de stoelen naast ons zitten, springen op. 'Stop the bus! Stop!' krijsen ze. De bus remt keihard. Sanne en ik schieten een eind door het gangpad heen. Bijna valt het boek opnieuw uit mijn handen.

'Eruit!' gil ik. Ik heb er nooit over nagedacht maar nu flitst het door me heen. Ik wil niet dood. Ik wil leven. Ik begin pas. 'Deuren open! We moeten eruit.' Maar ik denk niet dat iemand me hoort. Iedereen gilt zelf om het hardst. Alsof het besmettelijk is. Of alsof iedereen weet wat er aan de hand is. Terwijl de mensen achter me niet eens kunnen zien wat ik in mijn handen houd.

'Open the door!' schreeuwt de man die het eerst opsprong. Zijn hoofd is paarsrood aangelopen. Hij worstelt zich langs de andere nog staande passagiers naar voren. Hij rukt aan de deur naast de chauffeur.

'No way,' mimet de chauffeur. Ik kan hem niet verstaan. Hij heeft zich omgedraaid en probeert de situatie in zich op te nemen. 'Who pulled the emergency brake?' gebaart hij.

'Him…' krijst de man met rood opgeblazen kop. 'Terrorists… Let us out. He's got a bomb!'

'What?' zegt de chauffeur. 'Who?'

'Him!' De man draait zich om en wijst naar me.

'I've got a bomb,' gil ik. 'Open the door!'

De man met de rode kop begint gierend te huilen. 'Please, let me out.'

'Who?' De chauffeur pakt zijn portofoon.

'The one with the red jacket,' gilt de vrouw. 'A Muslim terrorist.'

Even wankel ik op mijn benen, dan dringt het tot me door dat ze mij bedoelen. Dat ze denken dat ik de bom... Ik!

'No! No!' roep ik. Ik steek het boek naar voren. 'I'm not... It's not...' Op hetzelfde moment voel ik dat iemand mijn benen onder me vandaan trekt. Als in slow motion filmbeelden, genomen vanuit vogelperspectief, zie ik mezelf op de smerige grijze busbodem kletteren. Het boek! flitst het door me heen. Het mag niet vallen! Maar de klap op de bodem van de bus verdooft me een ogenblik. Ik kan niet langer aan het boek denken. Mijn hoofd duizelt.

'Sanne...' stoot ik uit. Iemand... Wie... Help...

'I've got him,' blaast een zware stem in mijn oor.

Knoflook...

Twee armen als boomstammen klemmen zich om mij heen. Er drukt iets op mijn rug. Iets zwaars.

Stemmen, vertraagd en hol alsof mijn hoofd onder water steekt. Suizen van openende deuren... Doffe klappen van schoenen naast mijn hoofd... Scherpe zandkorrels spetteren in mijn gezicht.

'Jim...' hoor ik langgerekt. Huilerig. 'Jim, wat is dit?'

'Het komt goed, Sanne,' wil ik zeggen. 'Ik ben hier. Ik weet niet...'

'Shut up,' snauwt de zware stem. De man boven op me trekt mijn hoofd omhoog aan mijn haren en bonkt het tegen de vloer van de bus. Ik voel me wegzakken. Dikke zwarte mist om me heen.

Als ik weer bijkom zie ik allemaal zwarte benen. Ik probeer mijn armen onder mijn schouders te trekken om me omhoog te duwen maar ze zitten op een of andere manier vast op mijn rug.

Ik begrijp het niet.

Als ik mijn hoofd optil ontdek ik dat de zwarte benen vastzitten aan politieagenten met eveneens zwarte helmen op hun kop en dikke dingen om hun borst die eruitzien als de kogelvesten van het CSI-Miami team. Sanne is nergens te zien.

Een man in een Michelinmannetjespak schuift voorzichtig de banden van de rugzak van mijn schouders.

'The book was a gift,' probeer ik te zeggen. 'Some men gave it to me. Indian or Paki...' Een grove hand perst zich tegen mijn mond. Ik krijg bijna geen lucht meer en probeer te bedenken wie mij dood wil. Maar zodra de rugzak los is, wordt de hand van mijn mond gehaald. Een man sleurt me aan mijn bovenarm omhoog. Ik word de bus uitgeduwd.

Direct tegen de ingang van de grote bus staat een klein busje geparkeerd. Ik moet overstappen. Mijn benen slapen en voelen aan alsof ze me nauwelijks kunnen dragen, maar ik geloof niet dat de agent achter me me zal laten vallen. Een andere agent tilt mijn hand omhoog zodat een handboei aan het plafond om mijn pols kan klikken. Door het raampje van het busje flitsen felle lichten die mij verblinden.

Ik begrijp niets van wat er gebeurt. Ze moeten zich vergissen. Dat kan niet anders. Wat heb ik gedaan?

'Waar is Sanne?' vraag ik.

Niemand reageert. Alsof ze me niet horen. Niet *willen* horen.

'Sanne!' probeer ik nog een keer. 'Where is she? My girlfriend.'

Geen antwoord. Ik geef het op. Mijn hart gaat tekeer als een op hol geslagen paard, mijn darmen trekken zich samen. Ik moet ineens ontzettend nodig naar de wc.

Het busje zet een loeiharde sirene op en crosst door de straten van Londen. Ik zie de Tower Bridge voorbij schieten. Ik ken hem alleen van plaatjes; nooit gedacht dat ik hem onder deze omstandigheden van dichterbij zou zien.

Ik denk aan Carien en Van Kolk. Ik moet hen laten weten waar ik ben.

'Call,' zeg ik. 'Want to call.'

Niemand reageert en wanhoop slaat door me heen. 'Please!' smeek ik. 'Let me call. My friends… My teachers…'

'Shut up!'

Mijn begeleiders ontwijken mijn blik. Ik kan niet anders doen dan zitten en lijdzaam ondergaan hoe het busje een poort inrijdt, stopt en ik naar buiten word getrokken.

SANNE

Voor ik goed en wel doorheb wat er gebeurt, word ik uit de bus gedreven. Doodsbange mensen om me heen. Kreunende mensen, mensen met nietsziende ogen, duwers.

Mijn hart dreunt ook in mijn keel. Ik ben ook bang. Bomaanslagen gebeuren alleen maar op tv. In films. Dit is echt. Ik wil ook weg. Maar niet zonder...

'Out of the way!' schreeuwt iemand achter me. Hij slingert me opzij, ik val tegen een houten bank aan en voel een stekende pijn ter hoogte van mijn knie. Moeizaam kom ik overeind. Het lijkt alsof mijn angst in mijn benen is geslagen. Ze voelen aan als houten palen, mijn knieën als zwaar verroeste scharnieren.

Terwijl mijn medepassagiers langs me heen stormen en zich geen moment om mij bekommeren, keer ik me naar de bus. 'Jim!' Komt het hoorbaar mijn mond uit? Ik hoor geen antwoord. Mijn ogen voelen branderig. Ik knipper. 'Jim! Waar ben je?'

Haastig zoek ik tussen de mensen die zich even verderop in veiligheid hebben gebracht. Nergens zijn zwarte kop met haar. Hij moet nog in de bus zijn. Ik draai me terug en staar naar de bus. Achter de ramen beweegt niets.

Ik wil terugrennen. Zoeken. Ik kan toch niet zomaar weggaan?

De hoge stem van mijn moeder in mijn hoofd weerhoudt me. *Ren hier weg, Sanne! Weg! Voor het te laat is!*

Maar ik kan me niet verroeren en staar naar de bus waarin ik mijn vriend voor het laatst zag. Ik sta daar alleen maar. En kijk.

Het duurt niet lang voor er sirenes klinken. Een paar motoragenten arriveren. Ze rijden tussen mij en de bus. Een van de agenten loopt direct naar mijn medereizigers een eindje verderop. De ander stapt in de bus maar springt al heel snel weer van het trapje naar buiten. Met grote passen komt hij op me af.

'Come on, girl.' Zijn stem klinkt vriendelijk. Hij legt een arm om mijn schouders en probeert me weg te draaien.

'Nee,' zeg ik. 'Jim is daar.'

'You can't stay here.'

'My boyfriend,' sis ik. 'In the bus. I think,' laat ik er zacht op volgen.

'It'll be all right.' De man zet meer kracht tegen mijn schouders. 'Come on.'

'No!' Wild sla ik hem van me af. Tranen schieten in mijn ogen.

De andere motoragent keert ook terug. Intimiderend blijft hij vlak voor me staan. 'Are you the bomber's girlfriend?' Zijn stem klinkt een stuk minder vriendelijk dan die van de andere agent.

'The bomber?' herhaal ik stom.

'The one who took the bomb on the bus.'

'He is my friend, yes. But he is not…' Ik kijk naar mijn handen. Ik heb nog nooit moeite gehad met de Engelse taal. Voor mijn mondelingen haal ik de hoogste cijfers, maar nu… Het is alsof mijn hoofd een vergiet is waar alles wat Engels is doorheen sijpelt.

'Het spijt me.' Ik zucht en knijp mijn handen in elkaar. 'Ik weet het niet meer.'

De agenten keren zich van me af en overleggen kort met elkaar. Dan grijpen ze me ineens bij mijn bovenarmen en draaien me hardhandig in de richting van het juist gearriveerde politiebusje.

'No!' gil ik. 'Jim!' Ik krijg het bloedheet. Niemand pakt me zo vast. Ik wil mijn armen los worstelen… probeer uit de mouwen van mijn jas te glijden… 'He is daar! Mijn vriend. Ik moet naar het Natuurhistorisch museum! My class!'

'Sssst,' doet een van de agenten. Ik ben me vaag bewust van zijn wenkende gebaren in de richting van een paar politiewagens. Ik heb niet eens gehoord dat ze aan kwamen rijden. 'Everything is going to be all right. Calm down.'

'No!' Ik draai mijn hoofd naar de bus. Ik wil zien wat daar gebeurt. Ik wil Jim zien.

Er komt een agente aangerend. Ze blijft voor me lopen. 'Take it easy, miss! Calm down.' Ze leidt ons in de richting van het politiebusje.

Ik gil. Ruk me los. Krijs. Maar word onmiddellijk weer gegrepen. 'Let me go! Jim!'

'Don't worry.' De agente neemt een van mijn armen over en knijpt erin.

'Au!'

'We will get him to you as soon as possible.'

Mijn neus prikt. Ik knijp mijn ogen dicht maar voel de tranen tussen mijn oogleden door wringen. 'Let me... go,' huil ik zacht. 'Please, please, please... Let me go.'

'She needs a doctor,' hoor ik de motoragent zeggen.

'No!' krijs ik. 'Just let me go!'

Dan voel ik hoe de greep op mijn bovenarmen nog steviger wordt. Mijn armen worden op mijn rug gedraaid. Iemand gooit een jas over mijn hoofd en zonder dat ik meer kan doen dan gillen en met mijn hoofd slaan, word ik het busje in getild.

Nog steeds met de jas over mijn hoofd word ik een gebouw in geleid. Ik zie de granieten vloer, voeten en benen die mij passeren en geen van alle blijven staan om me te helpen, ik ruik de muffe geur van een kunststofjas die nat en bezweet is geweest en hoor het klappen van deuren en geroep van mensen. Het is alsof ik in een droom verzeild ben geraakt. Een nachtmerrie. De angst die ik me herinner van de bezemkast onder de trap bekruipt me weer.

Ik krijg geen adem meer. Snak naar lucht. Zwaai wild met mijn hoofd in de hoop dat ik die jas van mijn hoofd kan slingeren. Mezelf kan bevrijden. Maar het lukt me niet. Ik hoor mezelf steeds heftiger hijgen. Steeds oppervlakkiger. Mijn benen veranderen van hout in zacht plastic dat niet in staat is mijn lichaam overeind te houden. Mijn hoofd wordt licht. Lichter…

Ik zweef…

'She's… back… again…'

Mijn ogen zijn dichtgeplakt.

Denk ik.

Ik krijg ze niet open.

Iets nats veegt over mijn voorhoofd, mijn wangen.

'Miss Nichols?'

Wie weet mijn naam? Waar ben ik?

'Miss Nichols?' begint de stem weer. 'Miss Sanne Nichols? Can you hear me?'

Ik doe moeite om mijn oogleden op te slaan. Ik wil zien wie dat vraagt. Zij klinkt aardig.

'Miss?'

'Ja…' pers ik uit mijn keel.

Weer veegt er iets nats over mijn wangen. 'Hello, Miss Nichols,' zegt de vrouwenstem. Ik zie een mond boven mijn gezicht hangen. Een neus. Een paar ogen. Traag nemen ze hun plaats in in een compleet vrouwengezicht. 'I'm doctor Whyte,' zegt de vrouw. 'You fainted.'

'Fainted…?'

'You were unconscious,' legt ze uit.

'Where…'

'Je bent op een politiebureau,' hoor ik ineens in het Nederlands. Met zwaar Engels accent, dat wel. Een vrouw in een politie-uniform komt bij me staan. Nu pas zie ik dat ik op een smal bed lig, bekleed met donkerblauw plastic. Ik schiet overeind en voel me gelijk weer duizelig worden.

'Doe maar even rustig aan,' zegt de vrouw. 'We denken dat je bent gaan hyperventileren en daardoor het bewustzijn hebt verloren.' Het klinkt nogal plechtig maar de vrouw spreekt goed verstaanbaar. Ik ben blij dat ik mijn eigen taal hoor.

'Wat is er gebeurd?' vraag ik. 'Waarom hebben jullie me naar het politiebureau gebracht? Waar is Jim?'

'Jim? Is dat de jongen uit de bus?'

'Mijn vriend.' Terwijl ik dit zeg klopt dokter Whyte me op mijn arm en verlaat de kamer. Onmiddellijk wordt haar plaats ingenomen door een man met opgerolde overhemdsmouwen. Hij heeft een cassetterecorder bij zich.

De vrouwelijke agent trekt een stoel bij. 'Voel je je goed genoeg om met ons te praten?'

Ik knik.

Ze helpt me van het bed en zet me op een stoel neer aan een tafel. Zelf gaat ze tegenover me zitten. 'Vind je het goed dat we dit opnemen op tape?' vraagt ze.

'Ja… ja… natuurlijk.' Heb ik iets te verbergen? Ik weet het niet. De man zet zich neer op de enige nog vrije stoel in de ruimte en drukt een knopje op de recorder in.

'All right.' De vrouw glimlacht. Ze heeft een serieus maar aardig gezicht. Een kuiltje in haar wang en krulletjes die over haar voorhoofd kronkelen. 'Weet je niets meer?' vraagt ze langzaam en nadrukkelijk.

Ik knijp mijn ogen dicht en probeer diep na te denken. Langzaam herinner ik me de bus. De paniek, Jim die met grote ogen keek van mij naar iets in zijn handen. 'De bom…' fluister ik.

'Yes, er was a bomb. Jouw vriend bracht hem de bus in.'

Ik weet dat dat niet klopt. Dat doet Jim niet. Ik ken hem goed genoeg. 'Wacht…' Hoe is het ook alweer gegaan? Ik moet goed nadenken. We moeten niet nog meer problemen krijgen. Ik moet de waarheid vertellen. 'Mannen…' herinner ik me ineens. 'Er waren mannen.'

'Wat voor mannen?'

'Bruine mannen. Indiaas… Pakistaans… Weet ik veel… Moslims denk ik. Met zo'n dikke baard…' Met mijn hand probeer ik aan te geven hoe vol de baard van die ene man was. 'Mijn vriend… Jim, hij is ook moslim.'

'Jim is geen moslimnaam.'

'Zijn echte naam is Jamal. We noemen hem Jim in de klas.'

'Dus Jamal.' Ze kijkt even naar haar collega. 'Hoe verder?'

Even ben ik in verwarring. Bedoelt ze hoe we nu verder gaan?

'Zijn achternaam,' verduidelijkt ze.

'Moqliya. Jamal Moqliya.'

'Uit welk land afkomstig?'

'Hij is geboren in Nederland. Zijn ouders komen uit Marokko.'

'Morocco,' herhaalt ze tegen de man.

Ik kijk ze allebei aan. 'He's no terrorist!' zeg ik heftig. 'He isn't! De bom kreeg hij van die kerels. Ze bleven maar om hem heen draaien. Hij vond ze vervelend, opdringerig. Hij wilde van ze af. Maar ik zei hem…' Ineens herinner ik het me. Van mij moest hij beleefd blijven. Het stopzinnetje van mijn moeder: Altijd beleefd blijven, wat er ook gebeurt. Een variatie op het zinnetje van Bassie van Adriaan *Altijd blijven lachen, wat er ook gebeurt.* 'Hij probeerde van ze af te komen maar ik vond hem grof,' zeg ik zacht. 'Ik zei dat ze misschien alleen vriendelijk probeerden te zijn.'

'En toen?'

'Ze stapten ook onze bus in. En daar bleven ze tegen Jim aan praten.'

'Niet tegen jou?'

'Nee, het leek wel of ze mij negeerden. Maar toen ze weggingen gaven ze Jim het boek.'

'Het boek waarin de bom zat?'

Ik knik. 'Maar dat wisten we natuurlijk niet.'

Weer onderschep ik de blik die de twee elkaar toewerpen. 'Is er iets?'

'Well…' Ze buigt zich naar me toe. 'De jongen schijnt geroepen te hebben dat *hij* een bom hád.'

Ineens begrijp ik het. 'Ja maar, daarmee bedoelde hij niet dat *hij* de bom had meegenomen. Hij had hem gekregen. Van die moslims.'

'Is there a possibility that your boyfriend tried to mislead you?' mengt de man zich in het gesprek.

'Jim?' Ik schud mijn hoofd. 'Echt niet.'

Er verschijnt een diepe rimpel in zijn voorhoofd. 'Sure?'

Dan verlies ik mijn zelfbeheersing. Ik sla met mijn vuist op de tafel. 'Jullie kennen hem helemaal niet!' schreeuw ik. 'Jim is helemaal niet tot zoiets in staat! Never!'

De vrouw legt haar hand op mijn arm. 'Listen,' zegt ze. 'Ik zeg niet dat jouw vriend een terrorist is. Maar we hebben de laatste jaren mensen gezien die niet alleen zichzelf opbliezen, maar soms ook hun vriendin of vrouw meenamen. Of hun eigen kind. Een keer een baby. We kunnen dus geen risico nemen, we moeten alles nagaan. Hij ís een moslim.'

'Wat zou dat? Jim is niet zo,' hou ik vol. 'Hij is een hele normale jongen uit mijn klas. Er zit geen druppel kwaad bloed in. Hij bidt niet eens tot Allah, tenminste…' Ik probeer goed na te denken. 'Ik heb het hem nooit zien doen, geloof ik. En hij drinkt bier. Dat mag toch ook niet als je moslim bent? Nou…'

'Oké,' zegt de vrouw. 'Wij geloven je.'

'Waar is hij?' vraag ik. 'Wordt hij ook verhoord?'

'Ja. Hij wordt naar een andere locatie gebracht om ondervraagd te worden.'

'Mag ik hem zien?'

Ze schudt haar hoofd. 'Voorlopig niet, ben ik bang.' Ze staat op. 'Maar als je wilt mag je iemand bellen; je vader of je moeder?'

Ik voel me ineens doodmoe. 'Mijn moeder,' fluister ik. 'Zij zal op dit moment wel in de rechtbank zijn. Ze is rechter. Judge,' voeg ik eraan toe.

'Geef ons de gegevens maar. Wij zullen het nummer voor je draaien.'

Terwijl ik ons telefoonnummer opschrijf, komt er een nieuwe man het vertrek in. Hij heeft een stapeltje van iets in zijn handen.

'Terwijl jij op je moeder wacht, zullen wij je kleren onderzoeken,' zegt de vrouw. Ze pakt iets van de stapel uit de handen van de man. 'Jij kunt dit aantrekken.'

Het is een soort overall die ze omhoog houdt. Een vreselijk ding. Bijna doorschijnend wit met plastic drukknoopjes in het midden. Maar ik protesteer niet. Vraag niet eens waarom. Wat ze denken te vinden op mijn kleren. Wat heeft het voor zin? Zij zijn de baas.

De vrouw en de man groeten me en verlaten de kamer. Een andere agente komt binnen. Zij zegt niets maar gaat met haar rug naar de deur staan toekijken hoe ik me verkleed.

Ik realiseer me dat ik hier niet voor de grap zit.

'Ineke?' zeg ik even later in de hoorn. Ik hoor zelf dat mijn stem pieperig klinkt. 'Ineke, er is iets gebeurd, maar je hoeft niet te schrikken.'

'Sanne?' De stem van mijn moeder klinkt ook hoger dan normaal. Maar ze is rustig. Ze probeert zich te beheersen, denk ik. 'Degene die me belde zei dat je op het politiebureau zat. Is alles goed met je?'

Ik knik en veeg met mijn hand langs mijn neus. Ik ben nooit een moederskind geweest, maar ik ben zo blij dat ik haar hoor. Zo ongelooflijk blij!

'Sanne?' vraagt ze nog eens. 'Alles goed met je?'

'Ja,' fluister ik.

'Vertel me wat er is gebeurd.'

'Een bom… Ze denken dat Jim een bom in een bus heeft gebracht. Het is niet zo, maar ze denken het. En ik was met Jim en nu…'

Ze laat me niet eens uitpraten. 'Ik kom,' zegt ze. 'Er moet hier een zaak overgedragen worden aan mijn collega, maar ik laat mijn secretaresse direct een stoel in het vliegtuig reserveren. Vanavond nog ben ik er. Hou je sterk, Sanne. Red je het nog een paar uur alleen?'

Ik voel me enorm opgelucht door haar reactie. Vanavond is ze er. Zit ik niet meer alleen tegenover die Engelse agenten. Misschien kan zij erachter komen wat er met Jim is gebeurd. Ze kent hem, ze weet dat hij geen terrorist is.

'Ja,' zeg ik zacht. 'Kom, mama. Wil je kleren voor me meebrengen?'

JAMAL

Ik zit in een benauwd hokje zonder ramen achter een tafel.

'Want something to drink?' vraagt een vrouwelijke agent.

'Ja.' Ik bedenk naderhand pas dat dat Nederlands was maar mijn antwoord was blijkbaar duidelijk genoeg want even later krijg ik een kop sterke thee voorgezet.

'My hands,' zeg ik. 'I cannot drink with' – shit, wat is handboeien in het Engels – 'these... these things.'

Ze maakt de boeien los en wijkt gelijk achteruit alsof ze bang is dat ik haar zal aanvallen.

'I'm not...' begin ik verontschuldigend, maar ze draait haar hoofd af en ik stop.

Ik voel me raar. Zweverig, alsof ik twee stickies achter elkaar heb opgerookt. Mijn buikspieren trekken zich continu samen en mijn hoofd bonkt. Van de dreun in de bus, denk ik. Straks hebben ze me een hersenschudding geslagen.

Ik voel me ook verdomd alleen. Vaak genoeg heb ik mijn drie broertjes vervloekt omdat ze aan mijn spullen zaten, met zijn drieën in mijn kamer neusden of de televisie op een ander net wilden hebben dan ik. Nu mis ik ze. Iedereen mis ik. Iedereen die mij kent en weet dat ik niet een of andere godvergeten terrorist ben. Sanne. Is alles goed met haar?

Ik probeer te praten tegen de agente, uit te leggen dat ik niets heb gedaan, wie ik ben, wat ik wil. Ze antwoordt niet. Kijkt me zelfs niet aan. Alsof ik in een wereld ben beland van aliens die mijn taal niet spreken en mijn signalen niet oppikken.

Maar het kan niet anders dan dat de boel zo meteen opgehelderd is. Dat ze me met honderdduizend excuses en knievallen laten gaan.

Zwijgend zet ik de kop hete thee tegen mijn mond. Het smaakt sterk en lijkt in de verste verte niet op de frisse thee die mijn moeder altijd zet van de verse muntbladeren van ons balkon of de slappe thee die je bij Sanne krijgt of bij Van Kolk die enkele keer dat hij tijdens zijn mentorles een 'huiskamersfeertje' probeert te creëren. Deze is bijna zwart en smaakt als een of ander bitter vergif.

Ze zouden me toch niet…?

Opnieuw trekt mijn maag zich samen. Mijn darmen trekken mee. Ik voel dat ik nu heel snel naar de wc moet. 'Toilet,' zeg ik tegen de agente. 'Please!'

Ze negeert me.

'Toilet!' Ik trek een benauwd gezicht om mijn verzoek kracht bij te zetten. Het kost me geen moeite.

Eindelijk kijkt ze mijn kant op. 'Not now,' zegt ze.

'But…'

Ze kijkt alweer door me heen.

'Shit!' Het is een passend woord in deze omstandigheden. Ik leg mijn handen onder mijn kont en probeer mijn spieren te beheersen. Als ik nu maar niet… Godzijdank is hier niemand die ik ken. Ik probeer me ergens anders op te concentreren. Het kamertje waarin ik zit. Het ziet er onpersoonlijk uit, als een onderzoekskamer in het ziekenhuis, alleen de onderzoekstafel ontbreekt. Drie van de vier wanden zijn kaal, op een klein plaatje na van de wisseling van de wacht bij het paleis van de koningin en een kalender met groot en vetgedrukt de datum van vandaag. De vierde muur heeft, naast de deur, een grote spiegel waarin ik het plaatje van de wisseling van de wacht nog eens zie. Een observatiespiegel – hoe leerzaam zijn politieseries op tv. De tafel voor me is van grijs gemêleerd spaanplaat. Tenminste, dat denk ik. Ik heb niet zoveel verstand van hout, multiplex, spaanplaat en dat soort materialen.

Mijn broertje Farid zou het wel geweten hebben. Ik heb een fotografisch geheugen, hij fotografische handen. Hij lijkt op onze vader. Ik niet. Ik lijk op niemand van de familie.

De politievrouw staat met licht gespreide benen naast de deur, haar blik gericht op de muur achter mij. Ze ziet er streng uit in haar uniform en met haar opgestoken haar maar met losse haren en een beetje laag uitgesneden jurkje zou ik best twee keer naar haar kijken. Ze heeft een puntig neusje en een lage, wat hese stem. Voor zover ik die gehoord heb.

In mijn achterhoofd klinkt Sannes stem dat ik me als een seksist gedraag. Op dit moment kan het me geen ruk schelen. Door aan die agente te denken in plaats van aan wat ik hier doe vergeet ik mijn darmkramp een klein beetje. Veel meer dan die vrouw is hier tenslotte niet te zien.

Ik neem nog een slok thee en slik zonder te proeven.

Waar zou Sanne nu zijn? Hoe is het met haar? Is ze ook met haar hoofd tegen wat dan ook geslagen? Ik voel me warm worden en schuif rechter op mijn stoel. Als ze dát hebben gedaan! Als iemand Sanne met ook maar een vinger heeft aangeraakt, dan…!

Ja? Wat dan? zegt een stem in mijn hoofd. Het lijkt verdacht veel op het sarcastische geluid van Van Kolk.

Ik knipper met mijn ogen. Laat hem opdonderen. Ik wil Van Kolk niet in mijn hoofd.

Hoe laat is het? Is het tweede onderdeel van de dag al begonnen? Ik schuif mijn mouw omhoog.

'No!' zegt de agente.

'Just looking for the time,' zeg ik.

'No!'

Maar ik heb het al gezien: tien over halftwee. De rondleiding door het Natural History Museum is zojuist begonnen.

'Madam.' Geen idee of dat de aanspreekvorm is voor een politieagente. 'Madam, can you tell me why I'm here?'

'Keep quiet!'

'Please, tell me. Didn't do anything wrong. Honest! When do I hear something about my situation?' Ik vouw mijn handen smekend ineen.

'Don't know,' zegt ze. 'You have to wait for the detectives.'

'De…tectives?' stamel ik.

Ze knikt.

'But what did I do? You're mistaken! They gave me the bomb. I had nothing to do with that thing! I'm not even technical!' Er schiet iets in mijn keel. Paniek? Een groot monster nadert en ik weet niet welke kant ik op moet rennen om het te ontvluchten. Zolang de agente voor de deur staat *kan* ik niet eens wegrennen, al zou het monster zijn kaken opensperren om me in mijn nek te bijten. Misschien doet het dat al…

'They'll tell you,' zegt de agente kortaf. 'Now stop talking.'

'Where's my girl friend?' vraag ik. 'Where is Sanne Nichols?'

'Shut up!' snauwt ze. Ze gluurt naar de grote spiegel naast haar. Ik volg haar blik. Word ik geobserveerd? Ik keer me nu helemaal naar dat raam. 'Why am I here!' Ik kom half overeind. Til mijn vuist op. 'I didn't do anything wrong! I'm just a schoolkid from the Netherlands! Didn't do anything! Some Englishmen gave me the book… I mean the bomb… You…' Het woord 'bastards' slik ik net op tijd in. Veel zal dat tenslotte niet helpen.

Even heb ik niet meer op de agente gelet en ik merk pas dat ze achter me langs is gelopen als ze mijn rechterarm op mijn rug draait. Voor ik het in de gaten heb heeft ze er een handboei omheen geklikt en die aan de tafelpoot vastgemaakt.   .

'Hé!' gil ik. 'Talk to me! Praat tegen mij! Ik wil een advocaat zien! Bring me a lawyer. Why don't I get a lawyer? Don't you have human rights in England? Please… Help me…' En dan breek ik.

'Please,' jank ik.

Een halfuur later kan ik nog niets meer dan uitgeput in elkaar gezakt achter het rottafeltje zitten. Mijn gevoel van tijd is helemaal weg. Als iemand had gezegd dat ik al zes uur gevangen werd gehouden had ik het ook geloofd, maar ik kan nog net een stukje van mijn horloge zien dat onder het tafelblad uitkomt en dat zegt dat ik pas drie kwartier in deze kamer ben. Mijn arm voelde eerst lam aan maar nu voel ik hem nauwelijks meer. Alleen wanneer ik me probeer te bewegen merk ik dat hij nog steeds aan mijn lichaam vastzit.

Ik hoef niet meer naar de wc. Het kan zijn dat de inhoud van mijn darmen in mijn onderbroek is gelopen, maar ik voel geen hoop stront zitten en heb ook niets uit mijn broekpijp op de grond zien druppelen, dus misschien valt het mee. Nu rammelt mijn buik. Ik had niet gedacht dat er in zo'n stressige situatie als deze iets als honger zou bestaan, maar toch begint mijn maag op te spelen.

'Can I get something to eat?' waag ik zonder veel hoop.

'Later,' zegt de agente.

Ik zak weer in elkaar.

Nog eens een halfuur later gaat de deur open. Twee mannen in nette pakken en stropdassen komen naar binnen. Een lijkt in de verte een beetje op de voetballer Wayne Rooney, ook zo'n in elkaar geperst straatvechterstype, de ander heeft een litteken in de vorm van een L op zijn wang. Wat ze delen is hun strenge houding en de blik die me bij voorbaat laat weten dat ze niet over zich laten lopen. Duidelijk niet de eerste de beste loopjongens.

Goed zo. Ik voel me wat opknappen. Het lijkt me dat zij de juiste personen zijn om dit misverstand uit de wereld te helpen.

Een van de mannen drukt een knopje in van een kastje aan de andere kant van de tafel. De cassetterecorder, denk ik. Dit wordt een officieel verhoor. Beter, ik heb niets te verbergen. Ik schuif rechterop. 'Can you take this thing off?' vraag ik wijzend op de boei.

'Later,' zegt de man met het litteken op zijn wang. Blijkbaar het favoriete woord van de Engelse politie.

'This is detective Ferguson,' zegt 'Rooney', wijzend op littekenman. 'My name is Waiter. We want to talk to you about the things that happened in the bus.'

Ik knik.

'First, tell me your name.'

Raar dat op momenten die absoluut ongepast zijn de meest krankzinnige herinneringen vanuit het niets opdoemen. Ineens moet ik denken aan de eerste week van de eerste klas van het Aloysius-college.

'*My name is Jamal Moqliya,*' moest ik opzeggen. '*I am twelve years old. I live in Deventer. My hobbies are football, football and again football.*' Er was gegrinnikt in de klas. En de leraar, die ik toen nog meester noemde, zei: 'All right Jamal, so you like football. What do you think of Manchester United?'

'Jamal Moqliya,' zeg ik. Waiter knippert heel even met zijn ogen op het moment dat ik mijn Marokkaanse achternaam noem.

'Muslim?' vraagt hij.

Ik knik opnieuw. 'Like my parents. They came from Morocco.'

Hij maakt een aantekening op een vel papier dat voor hem ligt en zet daar een paar dikke lijnen omheen.

Er rinkelt een alarmbelletje in mijn hoofd. 'What has that got to do with my being here?' stoot ik uit.

'What do you mean?'

'Me being a Muslim.'

Ze kijken elkaar even aan en ik realiseer me dat dit een belangrijke vraag is.

'I guess you know it yourself,' zegt Ferguson terwijl hij me strak aankijkt. 'In Holland you had several terrorists. All Muslim.'

'So what?' snauw ik. 'I'm not a terrorist. What *the hell* do you think of me?' Zijn dit de mensen die me moeten helpen vrij te komen?

'The men gave me the bomb! Why did they do that? Why me?'
Waiter werpt een blik over zijn schouder. De agente knikt.
'Calm down,' zegt Ferguson. 'We don't tell you are a terrorist.'
'Why am I here, then! The bomb wasn't mine. You've got to be-
lieve me!'
'Do you want a glass of water?' Zonder mijn antwoord af te wachten, wordt de agente weggestuurd om water voor me te halen.
Ik moet denken aan de aflevering van Tatort waarbij de bewaker
tijdens een verhoor werd weggestuurd zodat de rechercheurs hun
verdachte onbespied konden intimideren. Ik zet me schrap en
gluur naar de cassetterecorder, benieuwd of die zal worden uitgezet. Maar dat gebeurt niet.
'Tell me what happened,' zegt Ferguson.
Ik vertel het hele verhaal vanaf het moment dat de deur in het
museum klemde en Sanne en ik daardoor de bus met onze klasgenoten misten. Hoe de mannen ons aanklampten en me een
boek cadeau gaven voordat ze de bus verlieten. 'But I didn't do
anything wrong!' zeg ik. 'I'm just a Dutch schoolboy!'
'OK, calm down,' herhaalt Waiter. Hij wacht tot de agente is terug-
gekeerd en water voor me heeft neergezet voordat hij me opdraagt
alles opnieuw vanaf het begin te vertellen. Dat doe ik. Ik begin bij
ons schoolreisje naar Londen en probeer zo volledig mogelijk te
zijn. Hoewel ik altijd dacht goed Engels te spreken, struikel ik geregeld over bepaalde woorden en ik ben blij dat dit geen mondeling
examen is. Waiter en Ferguson laten me stuntelen. Als ik klaar ben,
zegt Waiter: 'Now, tell us again while we ask you some questions.'
'I need an interpreter,' zeg ik.
'No, you don't.'
'I'm tired talking in a language that isn't mine! I don't want to
make mistakes!'
'Relax and it'll be all right.'
'No! You don't understand me or you don't believe me. I'm inno-

cent! So, I want a translator.' Ik duw mijn rug tegen de leuning en staar stuurs naar het tafelblad.

Ferguson buigt naar voren. Hij kijkt me dwingend aan. 'Start talking!'

Maar het kan me niets meer schelen. Als ze me toch niet geloven is er iemand nodig aan wie ik in het Nederlands kan uitleggen dat die Engelsen de grootste fout uit hun carrière maken door mij vast te houden. Ik ben nota bene minderjarig! Mag dat zomaar? Een minderjarige vasthouden en beschuldigen van iets wat hij niet heeft gedaan?

Ik probeer mijn gedachten op iets anders te richten. Het museum van vanmorgen. In gedachten doorloop ik alle zalen die ik heb gezien. De Steen van Rosetta, het skelet van de dinosaurus, de mummiekisten…

'Talk!' schreeuwt Ferguson.

Vanonder mijn oogharen zie ik hoe zijn handen zich om de tafelrand klemmen. De knokkels lopen wit aan. Het doet me goed dat ik niet de enige ben die zijn zelfbeheersing kan verliezen en ik voel het als stimulans om door te gaan met zwijgen.

'Now listen,' zegt Waiter rustig. 'We know you want to go home as soon as possible. If you keep silent, it'll take more time before we let you go.'

Ik kijk op. 'I've just told you everything I know. What more do you want from me?'

'Try convincing us.'

Ik schud mijn hoofd. Argwaan is van die ongelovige koppen af te lezen. Wat heb ik te verliezen? Mijn vrijheid? Ik geloof er geen bal van dat ze me eerder laten gaan. Ik heb hulp nodig. Iemand die ze overtuigt. Mij alleen lukt het niet.

'All right,' zegt Waiter na een tijdje. Hij kijkt zijn maat aan. 'Let's go.'

Zonder nog een woord tot mij te richten staan ze op, schuiven hun stoel aan en verlaten de kamer.

Is dit wat ik wilde? Dat ze mij aan mijn lot overlaten? Ik schuifel zo goed en zo kwaad als het gaat op mijn stoel en kijk naar de agente bij de deur. 'Are they going to get someone?' vraag ik. Met nietszeggende ogen staart ze over me heen.

'When can I call someone?' dring ik aan. 'Don't I have the right to a lawyer?'

Geen antwoord.

'*When* can I call someone?!' herhaal ik harder. Ze kan niet net doen of ze doof is.

Niets.

Ik begrijp dat er geen antwoord zal komen en druk de nagels van mijn hand in mijn palm. Ik werp een blik op het spiegelraam. Staan Waiter en Ferguson daar nu te overleggen? Samen? Met anderen? Even heb ik de neiging mijn middelvinger naar ze op te steken. Maar misschien zijn ze echt bezig een tolk of een advocaat voor me te regelen.

Ik zak achterover en denk weer aan het British Museum. Man, wat lijkt dat lang geleden.

Na weer een eindeloze tijd komt er een man het kamertje in. Hij ziet er niet uit als een tolk of een advocaat. Een tolk of een advocaat draagt geen pak in zijn handen met een paar stoffen sloffen erbovenop.

'Undress,' zegt hij tegen me.

'Wat?' Geschokt sla ik mijn ene vrije arm voor mijn borst. Een beetje vreemde vraag van de ene man aan de andere.

'Take your clothes off.'

'Why?'

'We have to search them.'

'Why?' herhaal ik.

'Just take them off, please.' Duidelijk geen man van veel woorden. Ik overweeg even om te weigeren maar ik vermoed wat er dan gaat gebeuren. Óf er worden een paar potige mannen aangevoerd die me optillen en uitkleden, óf de agente bij de deur verleent 'assistentie'. Ik moet er niet aan denken dat ze aan mijn gulp zit. 'Oké,' geef ik toe. 'Unchain me.'

De agent maakt mijn hand los van de tafel en verlaat de kamer. Ik vermoed dat er achter het spiegelglas nog een paar figuren staan toe te kijken. Ik ga zoveel mogelijk in hun blinde hoek staan en begin mijn kleren los te maken. 'When do I get them back?'

'Don't know,' zegt de man.

Als ik in mijn onderbroek sta, werpt hij me het pak toe. Het blijkt een witte overall te zijn van papierachtige stof. Eén keer naar wijzen en je prikt erdoorheen. Ik steek mijn eerste been in een pijp.

'No. Your underpants.'

Moet die ook uit? Moet ik hier helemaal in mijn nakie gaan staan? 'Why?' vraag ik weer.

'Just do it!' beveelt de man.

Ay sir! Ik pers mijn lippen op elkaar en duik nog dieper in de hoek weg. Nog altijd weet ik niet of ik de boel heb ondergescheten of niet. Ik ruik wel iets, maar hoop dat mijn neus ook een beetje van slag is. In elk geval lubbert mijn onderbroek niet raar zoals die van mijn jongste broertje altijd deed als die in z'n broek had gepoept en zonder schaamte door de kamer heen waggelde.

Ik kruip ineen zodat ik het centrale deel van mijn lichaam zoveel mogelijk kan beschermen voor wie er dan ook gluurt. Misschien willen Waiter en Ferguson zeker weten dat ik moslim ben en zoeken ze sporen van mijn besnijdenis. Nou, mannen, let me tell you: die sporen zijn er! Maar als het aan mij ligt krijgen jullie daar geen millimeter van te zien. Dat bewaar ik voor Sanne. Met één hand stroop ik de stof van mijn heupen en benen, over mijn voeten. Ik voel me als een slang die vervelt.

Op een dun streepje na zit er geen stront in mijn broek. Godzijdank. Geniet ervan tijdens het onderzoek, mensen!

Het kan me nu even niet meer schelen dat ik een gevangenen-outfit aan moet. Ik wil *iets* aan. Wat dan ook. Ik steek mijn tenen in de pijp en worstel het onhandige geval omhoog. In de mode-zaak waarin ik werk zal het pak, denk ik, nooit een hit worden. Veel te onhandig en te wijd. Je kan amper zien dat ik mannelijk ben.

De man pakt mijn eigen kleren op en stopt ze in een doorzichti-ge plastic zak. Ik zie nu pas dat hij handschoenen draagt. Ben ik zo smerig? schiet het door me heen. Maar ik weet wel waarom het is. Ze gaan mijn spullen onderzoeken op sporen van weet ik veel wat. Explosieven waarschijnlijk.

Ze kunnen hun geld beter aan iets anders besteden. Ik heb nooit iets aangeraakt wat met wapens te maken heeft. Het dichtstbij komt waarschijnlijk nog die duizendklapper die ik met oud en nieuw heb aangestoken. Of het aardappelmesje waarmee ik een tijdje geleden een peer heb geschild voor kleine Mo.

Zonder iets te zeggen vertrekt de man met mijn spullen in zijn zak. De agente komt weer binnen.

'Sit down,' zegt ze.

Wat onwennig sjok ik in het onhandig grote pak naar de tafel. Het zit zo wijd dat het voelt alsof ik bloot ben, wat ik onder die dun-ne laag ook ben natuurlijk.

'These are for you too. Put them on.' Ze zet de stoffen sloffen op de tafel en wacht tot ik ze aan mijn voeten heb gewurmd.

'Now wait,' zegt ze.

Natuurlijk. Wachten. Ik word er zo moe van!

Niet veel later word ik in het politiebusje naar een ander gebouw overgebracht. Het is een grijs betonnen geval van vijf verdiepin-gen hoog. Voor de kleine raampjes zitten tralies. Niet moeilijk te raden waar dit gebouw voor dient.

Ik voel kippenvel in mijn nek. Cellen? Word ik in een cel gesmeten? Waarom? Ik ben onschuldig! Ik heb niets gedaan! Ik wil naar mijn klasgenoten! Zelfs naar mijn school wil ik. Naar de winkel waar ik werk. Mijn ogen schieten naar de agente naast me, mijn benen staken een ogenblik.

'Walk on!'

'But...'

Een stevige hand sluit zich om mijn bovenarm. 'Walk on!'

Struikelend verdwijn ik in de bek van het betonnen gevaarte.

Ooit heb ik eerder in een cel moeten zitten. Vijf uur en twintig minuten om precies te zijn; ik herinner me elke minuut ervan. Omdat ik als ettertje van twaalf met mijn vrienden stoer had willen doen. Ik had een zak toffees gejat bij de Hema in de stad en geen rekening gehouden met de camera boven mijn hoofd die zelfs registreerde hoe ik twijfelde tussen vanille- en hazelnootsmaak. Ik heb de videobeelden later gezien, ik kwam over als een zeer ervaren dief maar niet heus.

Zo cool mogelijk slenterde ik met mijn toffees in de richting van de uitgang, maar ik was nauwelijks door de detectiepoortjes of de beveiligingsman had zijn hand al in mijn nek.

De cel bij het politiebureau was erg, maar veel erger vond ik het dat mijn moeder weigerde te komen en ik er moest wachten tot mijn vader uit zijn werk kwam. Die strafte niet met woorden of met zijn handen, die keek alleen maar. En dat was op een of andere manier veel erger. Zijn blik drukte teleurstelling uit, moedeloosheid en onbegrip. Vermoeidheid ook van lange dagen in wisseldiensten als machinebankwerker.

Ik heb nooit meer iets gejat.

De Engelse cel lijkt niet helemaal op die cel in Deventer. Ook piepklein met een bed dat aan de vloer vastgeklonken is, maar deze heeft ook een metalen wc-pot zonder deksel en een metalen wasbakje. Geschikt voor langer verblijf. Weer weten mijn benen even niet hoe ze moeten bewegen. Ik sta daar maar in de deuropening en staar naar dit decor van een horrorfilm. Wanneer knijpt iemand me zodat ik wakker word?

Een onzichtbare hand duwt me verder naar binnen. De deur achter me valt in het slot. Een sleutel wordt omgedraaid. Het klinkt alsof het onomkeerbaar is: omdraaien om nooit meer terug te draaien. Opsluiten om nooit meer vrij te laten.

Ik moet me beheersen om niet tegen de deur te bonken en opnieuw te schreeuwen dat ze zich vergissen. Het heeft geen zin; als mijn boodschap nu nog niet is overgekomen, komt hij nooit meer over. Ik sleep me naar het bed en val erop neer. Nadenken moet ik. Rustig ademhalen en nadenken. Op een rijtje zetten wat er sinds het British Museum precies is gebeurd. Waarom heb ik het pakje van die kerels aangenomen? Waarom moesten ze mij hebben? Wanneer ontdekken Rooney/Waiter en 'Scarface' Ferguson dat ze fout zitten? Dat ik gewoon a Dutch pain in the ass op werkweek ben?

En wanneer zetten ze me met een stevige handdruk en welgemeende excuses af bij de jeugdherberg?

Ik wrijf over mijn arm. Op de plek waar de agente greep om me vooruit te duwen zitten nog steeds rode vlekken. Ik ken dit soort plekken. Ze zullen wel blauw worden. Ik heb altijd ergens blauwe plekken. Voetbal is niet voor mietjes. Maar nog nooit heb ik blauwe plekken gehad omdat een vrouw me kneep. Mijn moeder slaat me hoogstens voor mijn kop.

SANNE

Ik schuif het dienblad met het metalen bord en de stenen beker naar achteren. Het eten smaakte nergens naar, muffe groenten en fijngekookte aardappelen zonder jus. Alleen het vlees was wel lekker, een hamburger of zoiets met champignonsaus.

Het is halfacht, zie ik op mijn horloge. Pás halfacht. Voor mijn gevoel zit ik al dagen in dit kale hok. Iemand in uniform heeft me vanmiddag sterke thee en biscuits gebracht. Hij bracht me ook tijdschriften. In het Engels natuurlijk, maar ik kon me toch niet concentreren op de tekst.

Op de gang hoor ik voetstappen. Er wordt op de deur geklopt; de agente die nog steeds de wacht houdt, doet een stap opzij.

'Ineke!'

Zonder iets te zeggen neemt ze me in haar armen en drukt me tegen zich aan. Ik weet niet hoe lang het geleden is dat ze dat deed. De laatste jaren is ze eigenlijk altijd bezig met haar werk en niet met moederen. Ik heb haar ook niet nodig, red het prima zonder dat ze altijd op mijn vingers kijkt. Maar nu ben ik blij met haar armen om me heen.

'Laat me naar je kijken.' Ze doet een stap naar achteren en bestudeert mijn gezicht. 'Je ziet bleek.'

'Het was vreselijk vandaag,' zeg ik terwijl ik haar handen grijp. Ik wil haar niet loslaten. Vandaag niet meer. Ik wil niet meer alleen zijn. 'Eerst die wc… de gemiste bus… die moslims… de bom en toen…' Ik knik met mijn hoofd naar de kleine ruimte waarin ik al sinds vanmiddag zit.

'Ik begrijp het,' zegt ze. 'Luister, laten we even gaan zitten.'

'Heb je mijn kleren bij je?'

Ze knikt. 'Het tasje staat op de gang. Je zult ze straks wel krijgen. Eerst iets anders.'

Ik zie dat ze haar professionele blik opzet. Twee keer ben ik bij haar in de rechtszaal geweest. Toen had ze ook die blik. Serieus, vol belangstelling, professioneel.

'Ik wil dat je me vanaf het begin vertelt wat er is gebeurd. Later vanavond zal ik nog met de verantwoordelijke politiemannen spreken over hun kant van het verhaal en de nabije toekomst, maar nu wil ik het van jou horen.' Even verzacht haar blik zich iets. 'Ben je daartoe in staat?'

Ik knik. 'Ja.' Ik sla mijn ogen neer en denk aan Jim. Waar zou hij nu zitten? Wat hebben ze met hem gedaan? 'Kun je ook naar Jim gaan?' vraag ik.

'Dat heb ik gevraagd, maar er wordt niemand bij hem toegelaten. *Hij* had de bom in zijn hand, zeggen ze. Daarmee is hij de belangrijkste verdachte.'

'Ik heb hem ook vastgehouden, mam!' zeg ik heftig. 'Het boek viel op de grond. Ik heb het opgeraapt. Als ze naar vingerafdrukken gaan zoeken, vinden ze die van mij heus ook wel.'

'We mogen van geluk spreken dat dat ding niet is afgegaan,' zegt Ineke. Naast haar oog begint een spiertje te trillen. Dat is me nooit eerder opgevallen.

'Was het dan een echte?' Het klinkt stom maar tot nu toe ben ik er steeds van uitgegaan dat het een nepding was. Een die bedoeld was om te dreigen; mensen aan het schrikken te maken, niet een die zoveel mogelijk slachtoffers moest maken.

'Volgens de agent die ik heb gesproken, wel.' Haar duim strijkt over de bovenkant van mijn handpalm.

'Waarom, Tineke?' vraag ik stil. 'Waarom gaven ze hem aan ons?'

'Dat zal de politie nu gaan uitzoeken.'

68

Ik kijk naar haar op. 'Geloof jij mij? Geloof jij dat Jim en ik van niets wisten?'

'Natuurlijk geloof ik jullie!' Verontwaardigd laat ze mijn handen los. 'Ik begrijp van hun kant volkomen waarom ze jullie verhoren, maar ik vind het vreselijk dat jij in elk geval je als misdadiger behandeld voelt. En daarover zal ik ook echt nog het een en ander van me laten horen. Dat jij gaat hyperventileren omdat ze je een jas over het hoofd gooien...' Ze schudt haar hoofd. 'Waarschijnlijk was je gewoon in shock. Er had weet ik veel wat voor ellendigs met je kunnen gebeuren.' Ze zucht. 'Maar voordat ik stampij ga maken...' ze laat haar stemvolume weer zakken '... wil ik eerst alles uit jouw mond horen.'

'Goed,' zeg ik. Ik denk even na over het moment waarop ik de gebeurtenissen voor mijn moeder moet laten starten, maar dan kies ik voor ons bezoek aan het British Museum. Om nog preciezer te zijn, het moment dat ik na het plassen de kruk van de toiletdeur had beetgepakt.

JAMAL

Ik kan niet slapen, draai me van mijn ene op mijn andere zij. Kom overeind, loop de paar stappen door mijn cel en ga weer zitten op de rand van mijn bed. De hele nacht schieten de gedachten door mijn hersenpan als kogels door een flipperkast. Ik denk aan de mannen die me het boek hebben gegeven. Waarom hebben ze dat gedaan? Hebben ze mij bewust uitgekozen? Zijn de moslims die de laatste jaren terroristische aanslagen hebben gepleegd niet zonder uitzondering zelfmoordstrijders geweest? Als dit ook moslimterroristen waren, waarom hebben ze dan hun tactiek veranderd? Durfden ze hun eigen leven niet op te offeren? Of zat er iets anders achter?

Ik denk ook aan Sanne. Waar ze is. Waarom ze me alleen heeft gelaten. Of ze dat expres heeft gedaan. En aan mijn klasgenoten denk ik. Weten die al dat ze in de klas zitten bij een 'moslimterrorist'? En wie heeft ze dat dan verteld? Ik heb niemand mogen bellen, ook al mag dat in televisieseries altijd in elk geval één keer. In Engeland zijn de regels zeker anders.

Mijn ouders flitsen ook door mijn gedachten. Mijn moeder in haar karakteristieke houding: haar handen ten hemel geheven en luidkeels klagend vragend aan Allah wat ze heeft gedaan dat ze zo gestraft moet worden.

Als ik Allah was, zou ik er nog een schepje bovenop doen als ik een mens zich zo hysterisch zag gedragen. Ze snikt en werpt zich vast net zo lang op de grond tot haar zusters en nichten komen aanrennen om haar te troosten en te beklagen.

Mijn vader zegt natuurlijk niets. Hij kijkt. Zijn ogen onder de

zwarte wimpers zijn samengeknepen en op mij gericht. Vol onuit-
gesproken verwijt waaraan ik alleen maar kan ontsnappen door
mezelf te dwingen op te staan en met het plastic bekertje wat water
te tappen uit het fonteintje.

Ik *moet* slapen voordat ik gek word! Waarom zou mijn vader me
dingen verwijten als ik niets heb gedaan? Waarom zou *ik* me dingen afvragen? Het valt te hopen dat Waiter en Ferguson ergens in
hun lekkere zachte bedjes tegen hun lekkere zachte vrouwtjes aan
ook wakker liggen en aan mij denken. Dat ze vannacht getroffen
worden door een of andere heldere bliksemschicht die hen doordringt van het feit dat ze een verkeerde te pakken hebben. Dat ze
hun tijd en het geld van de Engelse belastingbetaler verspillen door
een onschuldige jongen te grijpen.

Slapen moet ik! Wie weet wat me morgen weer te wachten staat.
Ik moet uitgerust zijn. Alleen dan kan ik me verdedigen waarte-
gen ik dan ook beschermd moet worden.

Ik wikkel me in het stijve laken als een mummie in linnen wind-
sels en begin beelden van Het Schnitzelparadijs voor me te halen
in de hoop dat die me suffig genoeg zullen maken om weg te dom-
melen.

SANNE

Ik draag mijn eigen kleren weer als ik rond elf uur met een busje word overgebracht naar een complex een paar honderd meter verderop. Ineke heeft nog geprobeerd of ik met haar mee mocht naar een nabijgelegen hotel. Het mocht niet. Gelukkig blijft ze tot het laatste moment bij me. Het afscheid valt me zwaar. Ook al herhaalt mijn moeder keer op keer dat het maar voor een nachtje is, dat ik morgenmiddag waarschijnlijk mee naar huis mag, ik blijf maar denken aan de kleine, eenzame cel die me te wachten staat. Waarom mag ik hier niet meteen vandaan? heb ik gevraagd.

Ineke legde uit dat de politie eerst uitgebreid met Jim wilde spreken en wanneer dat verhoor vragen en opmerkingen opriep, zouden ze mij misschien nog eens willen verhoren. Men wilde voorkomen dat ik zonder dat ik het wist aan iemand informatie doorgaf over het onderzoek tot nu toe, of beïnvloed zou worden door televisie of radio; daarom wilden ze mij voor één nacht afzonderen van de buitenwereld. Ineke vertelde me ook dat ik van geluk mocht spreken omdat ze me eigenlijk langer wilden houden, maar gezien mijn duidelijke onschuld en haar bemiddeling wilden ze het opsluiten beperken tot waarschijnlijk een nachtje.

Een nachtje…

Eén lange, donkere nacht!

Ineke weet hoe angstig ik kan worden in kleine ruimtes en ze heeft dat doorgegeven aan iemand, ik weet niet wie. Er is me gevraagd of ik een kalmerend middeltje wil hebben of een slaappil. Natuurlijk niet. Ik ben een grote meid, zet me er wel overheen.

Maar ik zou blij zijn als er iemand bij me mocht blijven.

Het cellencomplex is van lelijk grijs beton. Fel licht van lantaarn-palen werpt een oranjeachtige gloed op het gebouw. Ik tel vijf ver-diepingen. Om de paar meter, vanaf de eerste verdieping naar boven, zitten kleine raampjes met tralies ervoor. Als dat allemaal aparte cellen zijn, kunnen hier heel wat boeven in opgeborgen worden.

Vannacht ben ik een van die boeven.

Mijn hoofd voelt alsof iemand het heeft volgestort met proppen watten. Ik zie alles, voel, denk, maar het is allemaal alsof er een afstand zit tussen mij, de normale Sanne Nichols uit Deventer, en de dingen die ik zie, voel, denk. Het klinkt vast behoorlijk weird maar ik kan het niet anders zeggen.

Ik laat me uit het busje helpen, aan mijn arm naar de ingang van het complex leiden, zie hoe ze mijn naam noteren op een klapper aan een balie, geef gehoorzaam mijn eigendommen af, maar tege-lijk is het alsof het iemand anders overkomt. Niet mij.

De gangen zijn fel verlicht. Voor me loopt een man met een sleu-telbos aan zijn riem. Ik volg hem over de zwarte lijn die over het midden van de vloer is geverfd. Ik moet twee trappen op, de eer-ste cel aan zijn linkerhand is voor mij. De man laat me binnen en demonstreert hoe de lakens die opgevouwen aan het voeteinde lig-gen over het plastic matras moeten worden gedrapeerd.

Ja hoor, ik ben een of andere domme Hollandse trien – ik weet niet hoe je een bed opmaakt.

Maar ik ben allang blij dat hij me niet alleen laat en doe net alsof ik inderdaad belachelijk onhandig ben. Ook doe ik geen enkele poging mijn verwarring en ongemakkelijke houding te verbergen. Resultaat is dat de cipier steeds zorgzamer en bezorgder wordt.

Toch komt na een tijdje het moment dat hij aanstalten maakt weg te gaan. Ik krijg het op slag vreselijk benauwd en grijp hem bij zijn arm. 'Please, don't turn off the lights,' smeek ik. 'Don't leave me here in the dark.'

'There are rules.' Hij kijkt me onderzoekend aan. 'Everything all right?'

'I'm afraid on my own in the dark…' Het kost me geen moeite om werkelijk in tranen uit te barsten.

'You can get a sleeping pill.'

'I don't want a sleeping pill,' zeg ik heftig. 'I want the lights on.'

'I'll see what I can do.' Hij werpt me nog eens een onderzoekende blik toe maar sluit dan toch de deur achter zich.

Ik val op het bed neer, trek mijn benen op en leg mijn hoofd op mijn knieën. O Jim, denk ik en begin heen en weer te wiegen. O Jim. Wat gebeurt er toch? Waar ben jij? Zit jij hier ook ergens? Weet je ook niet wat er gaat gebeuren? Denk je aan mij? Weet je dat ik hier ben?

Ik denk aan een sciencefictionfilm van een tijdje geleden. Daarin konden de hoofdpersonen met elkaar communiceren door sterk aan elkaar te denken. Ze legden de vingertoppen van hun rechterhand tegen de zijkant van hun schedel, sloten hun ogen en concentreerden zich op degene met wie ze contact zochten.

Ook al geloof ik er geen barst van dat het zo werkt, toch kan het geen kwaad dat ook te proberen. Ik druk mijn vingers zo hard tegen mijn slaap dat ik er blauwe plekken aan over moet houden en concentreer me. Jim, Jim, Jim…

Ik voel niets. Misschien voelt hij mij.

Na een tijdje beginnen mijn benen pijn te doen, mijn rug voelt koud en ik trek de deken om me heen.

Waarom hebben ze me mijn MP3-speler ook afgepakt? Als ik dan geen mens als gezelschap mag hebben, wil ik Mozart bij me. Vioolconcert nummer 3.

Ik sluit mijn ogen en probeer de noten van het stuk voor me te zien. Zachtjes begin ik het te neuriën. Ik wieg op de maten mee en voel me vanbinnen langzaam rustiger worden.

JAMAL

WOENSDAG 18 JANUARI
Het is nog donker als ik een sleutelbos hoor rammelen tegen mijn deur. Een man duwt de deur open en een ander, die ik gisteren niet heb gezien, komt binnen met een dienblad.

Ik kom overeind. Ik heb niet lang en niet diep geslapen en voel me alsof mijn kop op barsten staat.

'Ah,' zeg ik, 'roomservice.'

De man negeert het. 'Be ready for a questioning in about fifteen minutes.'

'Vijftien minuten?' Dat red ik nooit. Douchen, aankleden, haar doen. Thuis heb ik daar op z'n minst twintig minuten voor nodig, zeker als ik tussendoor ook nog moet eten. Op hetzelfde moment dringt het tot me door ik niet thuis ben en dat er geen sprake is van douchen, aankleden of mijn haar doen. Dat laatste vind ik nog het ergst. Mijn haar lijkt op de kromgetrokken stekels van een egel als ik geen gel heb om het te bedwingen.

De 'portier' staat nog altijd in de deuropening als de andere kerel al weg is. Hij kijkt naar me met een ietwat verbaasde blik in zijn ogen.

'You're young,' zegt hij.

'Yes,' zeg ik. Blij dat iemand dat ziet.

Hij is ook jong voor zijn baan – begin twintig schat ik. Zijn kin ziet eruit alsof hij amper baardgroei heeft en zijn haar zit plat tegen zijn hoofd gelijmd. 'Hé, do you have gel, or something?' vraag ik in een opwelling. Ik wijs op mijn hoofd.

Hij lijkt even na te denken. Dat stemt me hoopvol. Niet direct *No!*

75

of *Later!* 'Wait,' zegt hij en verdwijnt. Hij is niet zo dom de deur open te laten. Stel je voor dat ik ontsnap. Ik, staatsgevangene nummer 1!

Even later gaat de deur weer open en gooit hij me een potje toe. 'Here, keep it.'

'Thanks,' zeg ik. Het eerste teken van menselijkheid sinds ik gisteren in de bus omver werd gesmeten. Misschien komt het moment ook nog dat iemand me deo toewerpt of de sleutels van dit hok.

Zo goed en zo kwaad als het kan fatsoeneer ik mezelf een beetje. Ik was de slaap uit mijn ogen, kam mijn haren met mijn vingers en was mijn gezicht en oksels met handenvol water.

Als ik daarmee klaar ben, kijk ik pas naar mijn ontbijt op het dienblad. Nogal karig. Twee sneetjes geroosterd brood en twee kuipjes jam – aardbeien en abrikoos. Een kop van die zwarte thee ernaast en een klein kannetje stomende melk. Ik gooi de thee door de afvoer en vul het kopje met water. Het brood eet ik op, hoewel ik meestal niet zoveel om brood geef. Normaal eet ik cornflakes of de pap die mijn moeder maakt. Flink gesuikerd.

Maar ik heb alle energie nodig die ik kan krijgen, zeker nu ik nauwelijks slaap heb gehad, en ik prop het brood naar binnen.

Direct na mijn laatste hap wordt er opnieuw een sleutel in het slot gestopt. Dezelfde bewaker komt binnen, een tweede verspert de uitgang. 'Turn around,' commandeert de eerste. 'Hands on your back.'

Weer voel ik de boeien om mijn polsen sluiten. Aan mijn bovenarm word ik door de gangen van het cellencomplex geleid. Een man met lang haar in een staart en in net zo'n overall als ik staat met een zwabber te zwaaien.

'Morning,' mompelt hij of iets wat daar waarschijnlijk voor moet doorgaan. Uit de emmer naast zijn voeten ontsnapt een lucht als een mix van kots en goedkope zeep. Niks dennen- of lavendelgeur. Zeker te duur voor een bajes. Ik probeer door mijn mond te ademen om de geuren buiten mijn lijf te sluiten. Ik ben best wat gewend. Je moet wel, als je in een kledingzaak werkt en allerlei zweet- en 'lekkere' luchtjes onder je neus geduwd krijgt. Maar hier lijken mijn zintuigen wel gevoeliger te zijn. Of misschien is deze mix wat graadjes sterker dan alles wat ik in de winkel ruik.

'This way.' Mijn begeleider duwt me een deur door naar buiten.

'Same location as before?' vraag ik.

'Go on,' zegt de man. 'The bus is waiting.'

En inderdaad: op dezelfde plek waar ik gisteren ben uitgestapt staat weer een grijs busje te wachten.

'Get in.'

De man had het niet hoeven zeggen. Ik wil niets liever dan instappen. Dit is mijn laatste ritje als gevangene van de Britse politie. Zeker weten. Het kan nooit meer dan vierentwintig uur duren om dat stomme misverstand op te helderen.

Ik, terrorist… Wat zullen we er vanavond om lachen!

SANNE

Ik word wakker omdat er op het piepkleine randje aan de buitenkant van mijn cel een duif zit te roekoeën. Ogenblikkelijk realiseer ik me waar ik me bevind. Maar het beangstigt me niet meer zoals vannacht. Het daglicht en de duif geven me het gevoel dat het allemaal wel goed komt, dat ik me niet druk moet maken.

Ik strek mijn benen. Door de verkrampte houding waarin ik in slaap ben gevallen, zijn ze zo stijf geworden dat ze pijn doen. Ik kom overeind en trek mijn shirt en trui over mijn hoofd. Wassen sla ik dit keer maar over; met een beetje geluk ben ik over een paar uur op weg naar huis. Daar zal ik uitgebreid onder mijn eigen warme douche gaan staan. Ik maak alleen even gebruik van de stalen toiletpot in de hoek.

Op de gang hoor ik geluiden. Ik loop naar de deur en probeer langs de kieren van het luikje te gluren. Ik zie niets. De geluiden komen dichterbij. Na een tijdje wordt er gemorreld aan de deur; er komt een man binnen met een dienblad.

'Breakfast,' zegt hij kortaf.

'When do they come to get me?' vraag ik voordat hij de kans heeft weg te lopen.

'I have no idea. In the morning I guess.'

'Why not now?' Ik begin te stotteren. 'They... they told me...'

'Don't know,' zegt hij weer. 'Don't ask me.'

'Do I have to wait in this...' Ik kijk om me heen en weet even niet hoe ik dit hok moet noemen.

'At ten you can go to the community room.'

'At ten...? What time is it now?'

78

Hij kijkt op zijn horloge. '8.30.'

Halfnegen pas. Ik voel de moed acuut in mijn benen zakken.

'Please, don't close the door again,' smeek ik. 'Please!'

'I'm sorry.' Hij draait zich om en draait de deur weer op slot.

Geen idee hoe ik het daaropvolgende anderhalve uur doorkom. Ik sjok de paar passen heen en weer die de ruimte van mijn cel toelaat en bedenk dat ik nu weet hoe leeuwen en tijgers zich in de dierentuin moeten voelen. Ik zit op de rand van mijn bed met m'n hoofd in mijn handen en probeer te bedenken wat mijn klasgenoten droegen toen ik ze gisteren voor het laatst zag. Ik maak mijn bed zó netjes op dat het zonde is dat het later vandaag waarschijnlijk weer wordt afgehaald wanneer ik vrijkom. En ik probeer me de details te herinneren van alles wat gisteren is gebeurd. Ik wil die dag nooit meer vergeten, niet omdat het zo'n geweldige ervaring was maar omdat ik ervan wil leren. Zo makkelijk kun je dus blijkbaar aan de andere kant van de samenleving belanden.

Juist op het moment dat ik niets meer weet te bedenken om te doen, gaat de deur weer open.

'Come,' zegt dezelfde cipier van daarnet. 'I'll take you to the community room.'

'Thanks.' Voordat de man uitgesproken is, glip ik al langs hem heen naar de gang.

Langs dezelfde doorgetrokken lijn over de vloer word ik naar een ruimte gebracht waar een paar mannen zitten. Ze dragen onveranderlijk spijkerbroeken en witte shirts, ik moet een beetje uit de toon vallen met mijn rode broek en grijze shirt. Niemand besteedt echt aandacht aan me. Ze kijken even op wanneer de cipier me achterlaat, meer niet.

Ik, daarentegen, kijk mijn ogen uit. Waarvoor zitten die mannen hier? Wat hebben ze gedaan? Zit ik tussen moordenaars en inbrekers?

De mannen zien er niet onguur uit, niet zo stereotiep als je ze in strips tegenkomt. Er zit zelfs een heel aantrekkelijke figuur tussen. Hij heeft een rechte rug, donkere krullen en donkere ogen. Die staren naar het scherm van een televisie in de hoek. Daarop wordt juist het dagelijks nieuws vertoond.

'In that corner over there is coffee if you like,' zegt de cipier achter me. 'I'll leave you here for now.'

'Thank you,' zeg ik en verbaas me erover dat Engels verstaan en spreken in korte tijd al zo gewoon is geworden. Mijn blik wordt gevangen door de bewegende beelden op tv. Ik zie de president van de vs verschijnen. Hij spreekt een groep mensen toe. Ik begrijp niet zo goed waar hij het over heeft. Dan verandert het beeld. Van bovenaf wordt er een straat zichtbaar met bomen en hoge huizen aan weerskanten. Onder in het scherm staat *London* en ik begrijp dat de straat zich in Londen bevindt. Het beeld zwenkt van de huizen af en er komt een bus in beeld. Een rode bus. Politieagenten eromheen.

Ik hoor niet meer wat de verslaggever zegt maar staar naar het plaatje dat ik ken.

In die bus zat ik gisteren.

Diezelfde bus.

Met Jim.

Op hetzelfde moment zie ik hoe een agent iemand uit de bus trekt en direct in een busje hijst.

Ik herken de zwarte kop met haar. De armen van Jim zijn op zijn rug geboeid. Hij stribbelt niet tegen, laat zich voorttrekken.

De spieren van mijn benen begeven het bijna. Ik grijp het eerste dat ik naast me voel. Een stoel. Ik val erop neer en kijk naar wat er gisteren is gebeurd, naar wat ik niet heb meegemaakt omdat ik al weg was gehaald. In zo'n zelfde busje.

JAMAL

In hetzelfde kamertje als gisteren staan Waiter en Ferguson me al op te wachten. Naast hen staat een derde man. Hij houdt zijn handen op zijn rug en kijkt me geïnteresseerd aan. Ik probeer op dezelfde manier terug te kijken.

Waiter drukt het knopje van de cassetterecorder in. 'Eight-thirty,' zegt hij. 'Good morning, Jamal. Sit down.'

Hij wijst naar de stoel waar ik gisteren ook op zat.

'This gentleman here is Mr Kooipur.'

De nieuweling knikt. 'Bram Kuiper,' zegt-ie.

Verrast kijk ik op. Hebben ze naar me geluisterd? Krijg ik een vertaler? Ik voel me gelijk iets minder alleen. 'Fijn,' zeg ik en grijns in de richting van Kuiper.

'Kooipur is a Dutch policeman,' zegt Waiter. 'He shall ask you some questions like we tried yesterday and at the same time he will be our interpreter. So you can talk in Dutch now if you like.'

'Een hele opluchting,' zeg ik en lach weer naar Kuiper. Ik zie de verontschuldigende blikken van de Engelse politiemannen al voor me als ze moeten constateren dat ze een knoepert van een blunder hebben begaan.

De Engelsen gaan tegenover me zitten, Kuiper naast me aan de smalle kant van de tafel.

'Yesterday, we spoke to two of your teachers,' begint Waiter. Hij is duidelijk de leider van de drie.

'Gisteren spraken ze met twee leraren van je.' Kuiper heeft een prettige stem, niet zwaar en niet licht, eentje waar je als vanzelf naar luistert en rustig van wordt. Ik in elk geval.

'Carien Klinkenberg en meneer Van Kolk,' vul ik alvast in. Wie anders? De anderen zitten gewoon in Nederland.

'Die ja,' zegt Kuiper. 'We willen weten wat die volgens jou over jou gezegd zullen hebben.'

'O, ehm...' Een beetje verrast door die vreemde vraag tuur ik naar mijn vingers en denk na.

Ik heb nooit veel heibel gehad met Carien. Ze behandelt me als ieder ander en is in elk opzicht redelijk. Dat ik haar vak een eitje vind speelt misschien ook mee. Ik geloof niet dat ik ooit lager heb gehaald dan een zesenhalf.

Van Kolk is een ander verhaal. Die is heel principieel, kan heel sympathiek zijn maar ook heel sarcastisch. Om de een of andere reden is hij dat laatste meestal tegen mij. Op mijn beurt kan ik me tegenover hem vaak maar moeilijk beheersen. Op iets hatelijks van hem *moet* ik iets terugblaffen. Meestal krijg ik daarmee wel de lachers op mijn hand, waardoor Van Kolk nog geïrriteerder wordt. Nee, vrienden zullen Van Kolk en ik nooit worden, maar vijanden zijn we volgens mij ook niet.

'Dat ik niets slechts bedoel,' antwoord ik. 'Dat ik een eigenwijze maar aardige gast ben.'

'That you're a pain in the ass!' zegt Waiter.

'Dat hoef ik niet te vertalen, zeker,' zegt Kuiper.

'I don't believe you.' Zelfs Van Kolk zou dat niet zeggen.

Ferguson neemt het woord. 'We spoke to a Mrs Klinkenberg and a Mr Van Kolk. They told us you're a good student but also a troublemaker.'

Met een ruk keer ik me naar Kuiper. 'Ik geloof ze niet! Zeg ze dat! Ik heb best wel eens een grote bek en krijg ook heus wel eens op mijn donder, maar volgens mij val ik op school erg mee.' Ik wacht even tot hij mijn woorden heeft vertaald. 'Ik wil weten wat ze nog meer over me hebben gezegd. Of ze soms bevestigd hebben dat ik een terroristische aanleg heb. Ik wil mijn leraren *zelf* spreken!'

'No!' zegt Waiter.

'Wat "no"! No, ik mag ze niet zelf spreken of no, ze hebben niet bevestigd dat ik een terroristische aanleg heb?'

Weer vertaalt hij het.

'Both,' antwoordt Waiter.

'So they don't think I'm a terrorist,' stel ik tot mijn grote opluchting vast. 'Can I leave now?'

'Praat maar via mij,' zegt Kuiper.

'Waarom? Dit kan ik zelf vertalen.'

'Om misverstanden te voorkomen,' zegt hij.

Waiter wurmt zich ertussen. 'Listen, son,' zegt hij. 'Don't waste your energy or our time. Just give us the answers. Now, I want you to describe the men who gave you the bomb.'

'Zie je,' zeg ik tegen Kuiper. 'Zo moeilijk is het toch niet om een goeie vraag te stellen?'

Kuiper heeft zijn emoties goed onder controle, hij reageert op geen enkele manier op mijn sneer. In plaats daarvan meldt hij dat er na dit verhoor ook nog een tekenaar zal komen die op mijn aanwijzingen een uitgebreid portret zal maken. Nu willen zij eerst mijn beschrijving horen. Het mag in het Nederlands.

In stilte dank ik iedere mogelijke hogere macht voor mijn fotografische gave. Ik beschrijf de mannen zo uitgebreid mogelijk: van de pukkelige huid van Baardmans tot en met de donkere moedervlek van een van de anderen boven zijn mondhoek. Van de lengte van de mannen in relatie tot mijzelf tot de kleur schoenen die ze droegen.

Kuiper zit druk te schrijven. Ik heb even de neiging om te vragen of ik wat minder gas moet geven, maar ik doe het niet. Als hij kramp in zijn hand krijgt, hoop ik dat die pijnlijk is – de straf voor de lullige woorden die Klinkenberg en Van Kolk gezegd zouden hebben.

Als ik klaar ben verwacht ik half en half een compliment. Ik vind dat ik dat verdien. Ook al heeft de politie vast al signalementen bij andere passagiers verzameld, zo'n volledige zal er niet bij zitten. Alleen Sanne en ik stonden erbovenop. En van die twee beschik alleen ik over een superbrein.

Maar er volgt niets aardigs. In plaats daarvan krijg ik direct de volgende vraag op me afgevuurd.

'Do you know names like Mohammed Bouyari and Samir Azzouz?'

'Wie?'

'In Nederland noemen we ze ook wel Mohammed B. en Samir A.,' zegt Kuiper.

Met een ruk hef ik mijn hoofd. 'Waarom zou ik die moeten kennen? Waarvan?'

'Ze zijn net als jij van Marokkaanse komaf.'

'Naima Bezzaz ook. En Abdelkader Benali en Hafid Bouazza. *Hun* namen worden niet afgekort tot Naima, Abdelkader of Hafid B.'

'Het gaat ons nu om die twee anderen. Beantwoord de vraag.'

'Die twee zijn extremisten! Fundamentalisten! Waarom, in vredesnaam, zou ik die moeten kennen?'

'Het waren gewone jongens. Net als jij. Intelligent, net als jij. Bezochten goede scholen. Droegen gewone kleren. Luisterden naar muziek waar jij waarschijnlijk ook van houdt. Hadden vrienden, vriendinnen... Niets dat erop wees dat ze zouden radicaliseren.'

'Nou? Ik snap het nog steeds niet? Wat heeft dat met mij te maken?'

'Hoe zit het met jou?'

'Wat?'

'Jouw sympathieën?'

'Ik ben geen extremist, ook al ben ik Marokkaan!' zeg ik heftig. 'Wat is dit voor klotezooi! Suggereren jullie soms dat alle slimme Marokkanen potentiële bommenleggers zijn?' Ik voel hoe mijn nagels in mijn handpalmen dringen. 'Waarom stoppen jullie je

84

energie verdomme niet in het zoeken naar de echte terroristen! Ik heb ze niet voor niets beschreven!'

De drie mannen kijken elkaar aan. Kuiper zucht. 'Ik zal even wat water voor je halen,' zegt hij. 'Even een korte pauze.' Hij verdwijnt naar de gang en komt een paar tellen later terug met een plastic bekertje water. Glas is zeker te gevaarlijk. In één teug drink ik de beker leeg.

'Goed,' zegt Kuiper. 'Vertel eens over je vrienden, Jamal?'

'Welke vrienden?'

'Gewoon,' zegt hij. 'Begin maar ergens.'

Ik denk even na. Op de basisschool zat ik nog met allerlei kinderen uit mijn eigen buurt. Daar zaten Surinamers, Antillianen, een enkele Turk, drie blanke Nederlandse en een heleboel Marokkaanse kinderen bij. Van onze groep gingen er twee naar het vwo, ik en een meisje dat Sarai heette. Mijn Marokkaanse vriendjes gingen bijna allemaal naar het vmbo. Heel af en toe zie ik ze nog. Als ze me komen halen om te voetballen op het pleintje tussen onze flats. Maar ik ben niet achterlijk. Ik begrijp heel goed dat die drie tegenover me met name zijn geïnteresseerd in die jongens.

'Vincent,' zeg ik. 'Met hem ga ik het meest om. Hij is nog veel sterker dan ik met wiskunde en scheikunde, maar de talen zeggen hem niets. Daar haalt hij alleen voldoendes voor als hij toevallig goed gokt.'

'Juist,' zegt Kuiper. Hij vertaalt snel wat ik heb gezegd. 'Verder?'

Ik voel ze aan de andere kant van de tafel ongeduldig worden. Goed zo. Ik voel me ook niet prettig, heren. 'Michael heeft Surinaamse ouders. Hij komt uit een groot gezin, zes jongens, twee meisjes. Dat zijn de jongsten, die meisjes. Misschien is Michael daarom nogal beschermend aangelegd naar meisjes toe. O, ik vergeet de belangrijkste. Mijn voornaamste vriend is een vriendin. Sanne heet ze. Zij is de dochter van een kinderrechter en wil zelf naar het conservatorium. Als zij viool speelt, blijven zelfs de vogels

stil.' Teiltje! hoor ik Vincent sneren. Maar ik ga door. 'Wij zijn…'
ik wriemel zogenaamd zoekend naar woorden aan mijn handen,
'… zeg maar, geliefden. Wij… ehm… kussen elkaar.'
Even denk ik dat ik te ver ben gegaan. Ferguson staart me aan door
steeds smallere spleetjes oog. Zijn gezicht krijgt de tint van een bijna rijpe aardbei.
Maar Kuiper laat zich niet klein krijgen. 'We weten wat een vriendinnetje is voor een knul van jouw leeftijd, Jamal. Dank je voor je
uitleg.' Hij buigt zich dichter naar me toe, boort zijn ogen in de
mijne. 'Je bent niet achterlijk, Jamal. Je weet wat we zoeken, hè?
Vertel iets over je Marokkaanse vrienden.'
'Die heb ik niet echt,' antwoord ik stug. 'Niet sinds ik naar het vwo
ging.'
'Wat betekent "niet echt"?'
'We voetballen af en toe nog samen. Meer niet.'
'En dan?'
'Dan proberen we onze bal in het doel van de tegenstander te krijgen.'
Weer wisselen de drie een blik. 'Grappig,' zegt Kuiper geduldig.
'Maar niet wat we willen weten. Vertel ons iets over die jongens.'
Ik denk na. Achmed, Kadir, Mohammed, Sadi en Joesef. Dat zijn
eigenlijk wel de voornaamste. Kadir kon op de basisschool prach-
tig tekenen. Het liefst natuurplaatjes. Ik kan me herinneren dat hij
op een dag op school kwam met voor iedereen een zelfgemaakte
tekening. De grootste en mooiste was voor juf Irene, daar was hij
stiekem weg van. Achmed is een driftkikker. Altijd geweest. Eén
verkeerde opmerking tegen hem en je had een klap voor je kop te
pakken. Maar hij was ook de beste voetballer van onze klas. Tijdens de schoolwedstrijden maakte hij het winnende doelpunt
tegen de kakschool uit West. Met zijn duimen onder zijn oksels
paradeerde hij over het veld en liet de toejuichingen over zich heen
komen.

Mohammed, Sadi en Joes zijn gewoon Mohammed, Sadi en Joes. Ik zou niet weten wat ik over hen moet vertellen. Ze voetballen redelijk, je kunt met ze lachen en af en toe jatten ze iets in de buurtwinkel. Niets bijzonders.

'Wat wil je precies horen?' vraag ik.

'Hun namen en adressen, hoe ze zijn, of ze vaak naar de moskee gaan.'

'Naar de moskee?' herhaal ik. 'Man, weet ik veel! We gingen en gaan allemaal naar de moskee op feestdagen. Meer weet ik niet! Ik zeg toch dat ik ze niet zo goed meer ken. Geen idee of ze vijf keer op een dag naar het oosten liggen. Maar al was dat zo, zou dat hen een terrorist maken?'

'Dat zeggen we niet.'

'Wat zeggen jullie dan eigenlijk wel, verdomme!' barst ik ineens uit. 'Ik word hier schijtziek van, weet je dat? Wanneer laten jullie me gaan? Wanneer kan ik weer naar mijn klasgenoten toe? Mijn *Nederlandse* klasgenoten! Trouwens, voor ik het vergeet: *wij* zijn allemaal Nederlanders! Ook mijn Marokkaanse vrienden. Allemaal daar geboren!'

'Easy,' zegt Waiter.

'Het is niet nodig je op te winden,' komt ook spuit elf ertussendoor. Hij gebaart naar de agent bij de deur.

'O nee?' snauw ik. 'Jullie houden me hier vast terwijl ik met mijn *vrienden* musea hoor te bezoeken. Ik moet er verslagen over maken die vier keer meetellen voor mijn overgang. En ik zit hier om die achterlijke vragen van jullie te beantwoorden. Ik ben geen extremist, horen jullie? Moet ik dat soms zweren op de heilige Koran?'

'Niet nodig,' zegt Kuiper. 'Bovendien heb ik begrepen dat beloftes aan ongelovigen niet gelden, dus…'

'Zie je wel!' Ik spring overeind, trap tegen de tafelpoot. 'Alles wat ik zeg klinkt als een leugen voor jullie, is het niet!' Ik schreeuw zo

hard dat mijn keel schuurt. 'Omdat als ik werkelijk een funda-
mentalist ben, alles wat ik zeg me toch vergeven wordt door Allah!
Wat moet ik dan nog zeggen? *What* the hell moet ik nog zeggen!'
'Finished at tenfifteen,' zegt Waiter en hij drukt de cassetterecorder uit.

Als de politietekenaar zo'n twee uur later het laatste lijntje heeft
gezet op perfect getekende zwartwitkoppen, word ik zonder par-
don teruggebracht naar mijn cel. Daar zit ik dan weer. Op het harde matras op het bed. Mijn ogen branden alsof ik drie nachten heb
doorgehaald en al drie weken achter elkaar strontverkouden ben.
Wat gebeurt er toch? Hoe kom ik hier ooit uit als niets van wat ik
zeg wordt geloofd?
Ik leg mijn hoofd in mijn handen en dwing mezelf rustig na te
denken. Ik ben Marokkaan, ja. Of juister: mijn ouders zijn afkomstig uit Marokko. Wat zegt dat over mij? Ik heb mij nooit echt
Marokkaan gevoeld. Op school heb ik van alles geleerd over
Nederland: Nederlandse steden, rivieren, politiek, regels, normen
en waarden. Ik ken het Wilhelmus beter dan het Marokkaanse
volkslied. Wat weet ik eigenlijk van het land van mijn ouders? Ik
ken een paar steden, die waar mijn ouders zijn geboren en die
waar mijn ooms en tantes wonen. Van de politiek weet ik niets
behalve dat er een koning is. Hoe heet die in vredesnaam…? Geen
idee. En Marokkaanse regels? Natuurlijk ken ik de regels van mijn
ouders: meisjes en jongens horen zich verschillend te gedragen,
meisjes meer dienstbaar en ingetogen. Ik vond het toen ik kleiner
was altijd jammer dat ik niet een paar zussen had die *dienstbaar*
konden zijn zoals die van Mohammed. Het leek me geweldig als
mijn vieze sokken achter mijn kont opgeruimd werden en ik nooit
meer hoefde af te wassen omdat mijn dienstbare zusters dat
deden. Maar ik kwam er al vroeg achter dat mijn moeder daar niet
zo principieel in was; om te beginnen heeft ze natuurlijk geen

dochters, maar afgezien daarvan lijkt ze ook te vinden dat jongens hun handen best kunnen laten wapperen. Zelfs mijn vader kan er niet altijd aan ontsnappen – af en toe gooit ze hem de natte was toe en draagt hem op die op het balkon uit te hangen. Ik heb hem nooit horen protesteren.

Mijn ouders proberen zich wel zoveel mogelijk te houden aan de islamitische kalender. Ze vieren de grote feesten uitbundig, versieren ons huis met slingers en bloemen en nodigen als het even kan alle familieleden en kennissen uit. Mijn vader gaat ook regelmatig naar de moskee. Niet elke dag, ook niet elke vrijdag – soms laat zijn werk dat niet goed toe – maar zeker een keer per week. Natuurlijk zijn we als kleine jongetjes allemaal met hem meegegaan. Volgens mij doen kleine Mo en Tarek dat nog steeds. Van hem, onze vader, en op de koranschool hebben we geleerd hoe we moeten bidden, hoe je het oosten altijd kunt vinden.

Maar die kennis laat ik voor wat het is. Niet omdat ik iets tegen de islam heb, maar omdat ik het voor mezelf geen nut vind hebben. Ik heb nooit iets gemerkt van het bestaan van Allah. Dat ik in 4 vwo zit heb ik volgens mij helemaal zelf gedaan. En als Hij wel zou bestaan, vraag ik me serieus af waarom hij zo'n lief kind als Marcha die bij mij in de straat woont spastische beentjes heeft gegeven of waarom hij strijd laat bestaan waardoor nog steeds elke dag onschuldige slachtoffers vallen.

Ik heb niets tegen gelovigen. O nee, van mij mag je geloven dat de mug die je verrot steekt een hogere macht vertegenwoordigt. Maar voor mij heeft het geen betekenis.

Waarom zit ik dan hier als mogelijke moslimterrorist met mogelijke terroristenvriendjes?

En wat ik ook niet begrijp: waarom lijkt het alsof alle aandacht zich op mij richt? Waarom hoor ik niets over de kerels die mij dat boek gaven?

SANNE

Ik zit nog op dezelfde plaats als de cipier weer komt opdagen.

'Come on,' zegt hij.

Ik kan niets uitbrengen. Voel me lamgeslagen door wat ik heb gezien. Jim. Waar is hij gebleven? Wat hebben ze met hem gedaan? Willoos laat ik me meevoeren naar een vertrek enkele verdiepingen lager.

Ineke zit daar al. Ze komt onmiddellijk op me af wanneer ik binnenkom.

'Hoe is het?' Een bezorgde frons boven haar ogen. 'Heb je wat kunnen slapen?'

'Waar is Jim?'

'Dat weet ik niet.'

Ik barst in tranen uit. 'Ik zag hem. Op de televisie. Hoe hij uit de bus werd gehaald.'

Ineke zucht. 'Dat wordt al sinds gistermiddag elk uur vertoond.'

'Hij heeft niets gedaan, mam! Niets! Niets! Niets!'

'Ik weet het…'

'Weet je waar hij zit?'

Ze schudt haar hoofd. 'Misschien in ditzelfde gebouw, maar dat wordt mij ook niet verteld. Ik heb hier geen enkele zeggenschap.'

'Je móét iets voor hem doen, mam!' snik ik. 'Je móét!'

'Ik doe mijn best.' Ze streelt mijn schouder. 'Word wat rustiger, Sanne. Kalmeer. Straks komen er twee agenten met je praten, dan moet je goed kunnen nadenken. Probeer duidelijk te antwoorden. Wees gewoon eerlijk.'

'Kan ik daarna dan weg? Ik wil niet nog een nacht in de cel.'

'Waarschijnlijk.' Ze bestudeert mijn gezicht. 'Heb je wat gegeten?'
'Ik kon niets door mijn keel krijgen.'
'Dat begrijp ik. Als we straks weg mogen, gaan we proberen wat
soep te vinden. Misschien dat dat beter naar binnen gaat.'
Mijn hoofd staat totaal niet naar eten. Ik hoef geen brood, soep of
weet ik veel wat. Ik reageer niet.
'Kom, ga zitten,' zegt ze zacht en leidt me naar de stoel die achter
een tafel staat. Zelf gaat ze naast me zitten. 'Ik fungeer als jouw
advocaat,' hoor ik haar zeggen. 'Nog nooit ben ik zo blij geweest
met mijn rechtenstudie. Als het nodig is, zal ik tijdens het gesprek
ingrijpen. Ik zal niet toelaten dat ze je aanvallen. Oké?'
Ik knik.
'Vertrouw me, Sanne. Alles komt goed.'
Er wordt op de deur geklopt, twee mannen komen binnen. Eén
met een opvallend litteken in zijn gezicht en een ander met een
postuur alsof iemand hem tussen duim en wijsvinger in elkaar
heeft gedrukt: een nek ontbreekt. Ze geven Ineke een hand en
knikken naar mij. Een verdachte begroet je natuurlijk niet hetzelfde als zijn advocaat. Een verdachte raak je niet aan, nog niet
met een pincet.
'Good morning, Miss Nichols,' zegt de gedrongen man. Hij wijst
opzij. 'His name is Mr Ferguson, I'm Mr Waiter. We want to ask
you some questions. We're going to tape this conversation.' Gelijk
drukt hij op een knopje van een apparaat dat in de tafel is inge-
bouwd. Het is duidelijk niet de bedoeling dat Ineke of ik protesteren. Hoewel ik alles wil doen om hier zo snel mogelijk weg te
komen, voel ik me enigszins opstandig worden.
'I'll translate for Sanne,' zegt Ineke met een blik op mij. 'Ik wil dat
je goed begrijpt wat er wordt gezegd.'
'Tell us everything you know about Jamal Moqliya,' zegt de
gedrongen politieman.
'Jim…' fluister ik naar Ineke.

91

Ze knikt.

'Hij is mijn klasgenoot sinds de eerste klas,' zeg ik. 'Zijn ouders komen uit Marokko. Hij heeft drie broers, alledrie jonger dan hij. Hij is mijn vriendje en hoeft eigenlijk niets te leren – alles wat hij een keer heeft gehoord of heeft gelezen, zit in zijn hoofd.'

Ik wacht tot Ineke het heeft vertaald.

'What does he do when he's not at school or with you? Do you know anything about his activities in his spare time?'

'Zijn vrije tijd,' zegt Ineke. 'Wat doet hij dan?'

'Hij werkt in een kledingzaak. Hij vindt het er niet echt leuk, maar hij verdient er geld mee. Ik geloof niet dat hij erg veel zakgeld krijgt.'

'Anything else?'

Ik denk even na. 'Hij houdt erg van voetbal, waarschijnlijk speelt hij het vaak maar daar weet ik niet zoveel van. En verder…' Ik haal mijn schouders op. 'Ik zit niet voortdurend op zijn lip.'

Waiter leunt naar voren. 'Tell me about his family.'

'Ik heb toch al verteld dat hij drie broers heeft,' zeg ik tegen Ineke.

'Vertel het nog een keer,' zegt ze.

Ik zucht. 'Ik ben zo moe.'

'Nog even,' zegt Ineke.

Dat idee geeft me de kracht om nog even rechtop te gaan zitten. Ik wil niet nog een nacht in de cel. 'Jim heeft drie broers. Zijn ouders komen uit Marokko. Hij is daar wel geweest, maar niet geboren. Geen idee of hij Marokkaans spreekt – ik heb het hem nooit horen doen.'

'Wacht even.' Ineke vertaalt wat ik heb gezegd.

'Go on,' zegt Waiter.

'Hij is een van de slimste figuren uit mijn klas. Haalt de hoogste cijfers. Jim is populair bij de meeste mensen. Een enkele leraar heeft de pest aan zijn bijdehante opmerkingen, maar dat komt vooral doordat hij meestal gelijk heeft.'

Ineke vertaalt.

'His family!' herhaalt Waiter. 'Does he often talk about his family, about the things they do, celebrations, going to the mosk on Friday?'

Ik begrijp wat hij vraagt ook zonder dat mijn moeder het me verklaart, maar ik kan hem niets vertellen.

'Hij praat daar nooit over,' zeg ik. 'Eigenlijk zegt hij nooit iets over thuis. En ik ben daar ook nooit geweest. Ik heb het idee dat hij daar zelf zo min mogelijk is.'

'Do you ever talk about religion? At school or just the two of you?'

'No, never!'

'Does he stay home for religious feasts?'

'Religious events?' Vragend kijk ik naar Ineke.

'Feestdagen voor moslims.'

'Ik merk daar niets van. Volgens mij interesseert de islam hem niet zo erg. Het is eigenlijk net als bij ons, wij zijn katholiek maar we lezen niet uit de bijbel en gaan niet naar de kerk.'

'His friends?'

'Never met them,' zeg ik. 'I don't know if he has other friends more different from the ones at school.'

Ferguson zucht en slaat met zijn vingertoppen op de rand van de tafel.

'All right,' zegt Waiter. 'Wait here.' Hij en Ferguson verlaten de kamer en sluiten de deur achter zich.

'Wat nu?'

Ineke haalt haar schouders op. 'Ik verwacht dat ze je nu laten gaan. Je hebt verteld wat je weet en daar is volgens mij niets negatiefs bij over Jim.'

Ik kijk even naar mijn handen op mijn schoot. 'Het is zo dubbel,' zeg ik. 'Ik wil niets liever dan naar huis maar tegelijk wil ik niet weg als Jim hier moet blijven.'

Ineke legt haar arm om me heen. 'Je kunt hier niets voor hem doen, schat. Ik heb contact gelegd met de ambassade. Die moeten nu voor hem aan het werk.'

'Hij heeft niets gedaan!' zeg ik nog eens. 'Echt niet, Ineke. Hij wilde dat boek niet eens aannemen. Ik zei dat hij dat moest doen.'

'De waarheid komt wel boven tafel, maak je geen zorgen.'

'Kan ik hem niet laten weten dat ik aan hem denk?' vraag ik. 'Dat ik hem niet in de steek laat? Ik heb jou nog, hij heeft misschien niemand.'

'Je kunt straks een briefje aan hem schrijven,' zegt Ineke. 'Er zal wel snel iemand van de ambassade toegang tot hem krijgen. Misschien kan die hem jouw briefje overhandigen.'

'Zou hij boos op me zijn?' Ineens begint mijn maag enigszins te knijpen.

'Natuurlijk niet. Jij kunt hier toch niets aan doen?'

'Maar ik ben uit die bus gegaan, terwijl hij daar nog een tijd moet zijn geweest.'

'Je kon toch niet anders dan met de stroom mee?'

'Dat is waar.'

'Luister,' zegt ze. 'Er is iets waar we het toch even over moeten hebben. Als je hier straks weg mag, kun je met mij mee naar Nederland, maar ik kan je ook naar je klasgenoten brengen voor de rest van je werkweek. Voel je daar iets voor?'

Ik denk even na. Ik zou nog de hele donderdag kunnen meemaken en vrijdag meereizen in de bus. Iedereen zou me vragen stellen waarop ik misschien geen antwoorden zou kunnen geven, ik zou mee moeten naar allerlei musea en dingen… 'Nee,' zeg ik beslist. 'Ik wil naar huis.'

Korte tijd later krijg ik mijn mobiel, mijn horloge en mijn andere spullen terug.

Ineke en Waiter praten nog even met elkaar, maar ik ben niet nieuwsgierig naar hun gespreksonderwerp. Waarschijnlijk krijg ik dat straks van mijn moeder toch wel te horen, of ik wil of niet. Op dit moment verlang ik alleen maar naar buiten. Frisse lucht. Weg van dit cellencomplex, weg van alles wat me herinnert aan wat er gisteren is gebeurd.

Tegelijkertijd...

O! Kon Jim maar mee!

'Hier, trek je jas aan,' zegt Ineke. 'Het kan zijn dat je hier nog eens terug moet komen, maar dat hangt af van het verdere verloop van het onderzoek.'

'En Jim?' Ik durf haar bijna niet aan te kijken.

Ze schudt haar hoofd. 'Het spijt me, Sanne. Daar valt niets anders over te zeggen dan dat hij nog even in Engeland moet blijven. De politie wil absolute zekerheid dat hij hier buiten zijn wil bij betrokken is geraakt en daar zijn nog wat onderzoeken voor nodig.'

'Klootzakken!' val ik uit. 'Waarom zijn onze verklaringen niet genoeg?'

Ineke klakt met haar tong. 'Probeer je de andere kant voor te stellen. Stel dat ze hem laten gaan en achteraf blijkt hij jou voor zijn karretje te hebben gespannen...'

'Dat is niet zo! Dat heb ik toch gezegd!'

'Dat weet ik schat,' probeert ze me te kalmeren. 'Maar hier gelooft men alleen wat men zelf heeft onderzocht. Zo werkt dat tegenwoordig. Als het om terrorisme gaat, breekt er een of ander panisch wantrouwen uit bij de veiligheidsdiensten. En hoe je daar ook over denkt, daar is wel enige reden toe.'

'En dus moet Jim het slachtoffer zijn?'

Ze haalt haar schouders op. 'Ik vind het even rot als jij. Maar je moet erop vertrouwen dat dit misverstand binnen de kortste keren uit de wereld wordt geholpen. Zou je het fijn vinden zelf eens met iemand van de Nederlandse ambassade te praten?'

'Zou dat helpen?'

'Misschien voor je gemoedsrust. Dat je weet dat er iemand is die echt zijn best voor Jim doet.'

Ik schokschouder. 'Kan dat dan? Met iemand spreken?'

'Ik heb een telefoonnummer bij me.'

'Bel dan maar,' zeg ik.

'Eerst naar buiten.'

We kunnen rechtstreeks door naar de Nederlandse ambassade. Iemand die meer van de zaak weet, heeft tijd om met ons over 'de zaak Moqliya' te praten.

In het enorme gebouw van roodachtige baksteen worden we door een gepantserd glazen wandje geleid naar een kamer met uitzicht op de straat. In de kamer staan een tafel en zes stoelen. Een dame gebaart ons plaats te nemen. Terwijl zij iemand wegstuurt om ene mevrouw Van Wieringen te halen, krijgen wij een kop koffie voorgezet.

Een blonde vrouw komt binnen. Ze stelt zich voor als Eline van Wieringen. Ze laat er geen gras over groeien.

'Jij hebt een paar rare dagen achter de rug, is het niet?' zegt ze tegen mij.

Ik knik.

'Het ergste lijkt voor haar gelukkig achter de rug,' zegt Ineke.

Hmmm. Ik kan er niets aan doen, krijg een bittere smaak in mijn mond.

'Weet u iets van Jim Moqliya?'

'Maak je je zoveel zorgen om hem?' vraagt mevrouw Van Wieringen.

Ik knik weer. 'Ik ben blij dat ik hier zit. Echt waar! Maar ik begrijp niet waarom hij niet wordt vrijgelaten. Hoe kun je dat nou doen, een jongen van zestien jaar in de cel stoppen omdat hij misschien, heel erg misschien iets verkeerd heeft gedaan! Alles wijst toch op het tegendeel? Sterker, hij hééft niets verkeerd gedaan! En ik ook niet.'

'Rustig Sanne.' Ineke legt een hand op mijn knie.

'Het geeft niet,' zegt mevrouw Van Wieringen. 'Ik begrijp haar verontwaardiging heel goed.'

'Wát begrijpt u heel goed?' vraag ik opstandig.

'Ik kan me voorstellen hoe je je voelt.'

'O ja? Snapt u dat ik me schuldig voel dat ik hier in deze lekkere stoel koffie zit te drinken terwijl mijn vriendje ergens in een of andere rotcel blijft?'

'Rustig,' zegt Ineke weer. 'Wil je een glas water?'

'Ik wil dat Jim ook vrijkomt!'

'Ik beloof je dat ik daar mijn uiterste best voor zal doen,' zegt mevrouw Van Wieringen. 'Weet je wat? Ik heb toestemming om hem vanmiddag te bezoeken. Kan ik een briefje van je meenemen?'

Onthutst kijk ik van mijn moeder naar haar. 'Een briefje? Kan dat?'

Ze glimlacht. 'Ik denk wel dat het mij lukt het bij je vriendje te krijgen.'

'En krijgt hij het dan vanmiddag?'

'Dat beloof ik je. Ik moet er alleen wel bij zeggen dat er mensen zijn die het zullen willen lezen en controleren.'

'Dus…'

'Dus zou ik, als ik jou was, geen dingen schrijven die niet voor andere ogen bestemd zijn of die uitgelegd zouden kunnen worden als geheime boodschappen.'

'Dat klinkt alsof u toch gelooft dat we een of ander complot leiden.'

De vrouw glimlacht. 'Geloof me maar, dat geloof ik niet.'

Even later zit ik achter een tafel met een vel papier en een pen. Ineke en mevrouw Van Wieringen hebben me alleen gelaten. Nu ik de kans heb, vind ik het moeilijk de woorden te kiezen die ik Jim wil meegeven. Zal hij wel geloven wat ik hem schrijf?

Ik besluit gewoon te beginnen met de beelden die ik vanmorgen op tv zag en te vertellen wat mij is overkomen. Misschien heeft hij ook wel het idee dat hij alleen was en is. Dat is niet zo. Ik heb mijn eigen rol in de gebeurtenissen.

JAMAL

Later die middag word ik door de bewaker die me 's morgens de gel heeft gegeven naar een kamer in het cellengebouw gebracht. Geen verhoorkamer dit keer. Geen cassetterecorder te bekennen. Een knappe blonde vrouw met een bloemetjesblouse staat op als ik binnenkom. Ze glimlacht naar me. 'Ga zitten,' zegt ze in het Nederlands.

Ik weet niet hoe ik me moet opstellen en kijk haar wantrouwend aan. Is dit een nieuwe tactiek? Heeft iemand gezegd: 'O ja, die Marokkanen schijnen ook erg van blonde chickies te houden. Laten we Monique inzetten.'

'Ik ben Eline van Wieringen,' zegt ze. 'Ik werk voor de Nederlandse ambassade in Londen. Ik kom kijken hoe het met je gaat.'

'Het gaat shit!' zeg ik hartgrondig. 'Wat dacht je?'

'Word je niet goed behandeld?'

'Wil je het echt horen?' Ik kijk haar aan en zoek naar tekenen in haar gezicht die me vertellen dat ze oprecht is. Ik merk dat ik wanhopig wil dat ze ja zegt.

'Zou ik het anders vragen?' Ze knikt me geruststellend toe. Als ik niet beter wist zou ik denken dat het allemaal best meeviel hier. Een spannend avontuur waar ik over God-weet-hoeveel-tijd lekker over kan opscheppen tegen mijn vrienden. En als ik vandaag was vrijgelaten had ik dat ook echt zo gevonden, maar nu...

Ik weet niet meer wat ik moet vinden.

'Luister.' Ik schuif naar voren. 'Ik heb een cadeautje aangenomen van een of andere malloot! Meer niet! Moet ik daarom al meer dan een dag in de cel zitten?' Ik bijt op mijn lip. 'Ik word verdacht van terrorisme, hoor je dat? Ze vergelijken mij met die zak die Theo van Gogh om zeep heeft geholpen en de idioot die allemaal politici op wilde blazen! Waarom? Omdat ik Marokkaanse ouders heb! Nou, daar ken ik er nog een heleboel meer van!'

Ze laat me razen en blijft me belangstellend aankijken. Dat maakt nog meer bij me los.

'Ik heb niets gedaan!' zeg ik heftig. 'En ik was niets van plan ook! Tenminste, niet wat zij dachten. En Sanne ook niet! Hoe lang willen ze me hier in vredesnaam nog voor niets vasthouden?'

'Heb je gehoord van de aanslagen op het openbaar vervoer hier in Londen een paar jaar geleden?' vraagt ze als ik even pauze neem om adem te halen.

'Ja, maar wil dat zeggen dat…'

Dit keer laat ze me niet uitspreken. 'Toen waren er jongens, iets ouder dan jij misschien, met rugzakken en een moslimachtergrond die zorgden voor meer dan vijftig slachtoffers met de bommen die ze in hun rugzakken droegen. Die jongens zagen er ook onschuldig uit. Net als jij. Niemand voelde argwaan.'

'Ik was niets van plan!' herhaal ik wanhopig. 'Ja, ik heb een moslimachtergrond en een goede opleiding, net als Mohammed B. en Samir A., maar dat wil toch niet zeggen… Ik ken er nog veel meer zoals ik!'

'Sinds de aanval op de Twin Towers neemt de Engelse overheid geen enkel risico meer. Er is een nieuwe wet – The Terrorist Act – op grond waarvan ze verdachten van terrorisme lange tijd vast kunnen houden als het onderzoek dat nodig maakt. Helaas voor jou en je vriendin vallen jullie binnen de groep waarvoor die wet is bedoeld.'

Het is de eerste keer dat iemand een verwijzing maakt naar Sanne. Ik registreer het maar kan er nu even niet op ingaan. 'Wat betekent dat?'

'Dat je hier misschien nog een tijdje zit. Natuurlijk doen wij van de ambassade onze uiterste best maar de Engelse veiligheidsdienst en die van Nederland zullen eerst allerlei dingen gaan uitzoeken.'

Ik grijp naar mijn hoofd. 'Shit...'

'Ze zullen alles willen weten over je achtergrond, je familie, de moskee die jullie bezoeken...'

'Wat hebben mijn familieleden hier in vredesnaam mee te maken?'

'Niets, denk ik persoonlijk. Ik geloof echt wel dat jij en Sanne hier per ongeluk bij betrokken raakten. Maar de politie wil het zeker weten.'

Ze raakt mijn arm aan en probeert hem voor mijn hoofd weg te trekken. 'Hé,' zegt ze. 'Hou moed. Ik zal me persoonlijk met jouw zaak bezighouden, oké?'

'Mijn zaak...' mompel ik. Jamal Holleeder.

'Ik zal ook je ouders bellen, als je dat wilt. Spreken ze Nederlands?'

'Mijn vader, redelijk. Mijn moeder een klein beetje...'

'Wil je dat ik ze bel?'

Ik knik.

'Kan ik dan een boodschap van je doorgeven?'

'Zeg ze...' Mijn ogen prikken. Ik ga niet janken waar dat mens bij is. Ik probeer te slikken. 'Zeg ze dat ze me kennen. Dat ik zoiets nooit zou doen. Dat ik advocaat wil worden, geen godvergeten terrorist.'

Ze knikt. 'Komt in orde. Heb je hier nog wat nodig?'

'Mijn eigen kleren. En deo. Axe als het kan. En ik wil graag bellen.'

'Dat laatste zal niet lukken, denk ik. Maar ik zal het vragen. Als het wel lukt, bestaat de kans dat er wordt meegeluisterd. Is dat een probleem?'

'Natuurlijk is dat een probleem!' val ik uit. 'Ik wil mijn vriendin proberen te bellen. Moet iedereen horen wat ik haar te vertellen heb?'

'Iedereen is jong en verliefd geweest,' zegt de vrouw. 'Ik denk niet dat je iemand erg kunt schokken.'

'Het is privé!'

'Als je bezwaar hebt tegen meeluisteren lukt het me in elk geval niet om je met wie dan ook te laten bellen. Anders heb je nog enige kans.'

Ik zwijg. Welke keus heb ik eigenlijk?

'Goed,' zegt ze. 'Denk er maar even over na. Ondertussen heb ik een verrassing voor je. Misschien geeft het je weer wat moed.' Ze grabbelt even in haar tas en haalt er een brief in geopende envelop uit.

'Wat is dit?' Ik kan er niets aan doen dat ik wat wantrouwig ben. Zoveel positieve signalen heb ik nog niet gehad.

'Een brief. Van Sanne Nichols. Ze heeft hem vanmorgen aan je geschreven.'

Onmiddellijk voel ik me beter. 'Sanne?' herhaal ik. 'Waar is ze?'

'Dat schrijft ze je zelf.'

'Hoe weet je dat?'

'Ik heb de brief zojuist vertaald en voorgelezen aan een van de bewakers hier,' zegt ze rustig.

'Jij durft,' zeg ik grimmig.

'Voor de informatie van buiten naar jou toe, geldt precies hetzelfde als voor de informatie van jou naar buiten toe.'

Ik hou de brief uitdagend voor haar neus. 'Mag ik hem dan heel misschien alstublieft wel in mijn eentje lezen?' vraag ik sarcastisch. 'Of moet ik dat eerst in drievoud aanvragen en vervolgens een week op antwoord wachten?'

'Ik laat je nu even alleen.'

'Dank u zeer beleefd,' sneer ik. Ik kan er niets aan doen. Wat er gebeurt is zo achterlijk irritant! Ik weet nu al zeker dat ik alles zal doen om de rest van mijn leven uit handen van de politie en uit een cel te blijven. Nooit meer wil ik meemaken dat alle beslissingen voor me worden genomen alsof ik een onmondige peuter ben. Ik vouw de brief open en druk hem tegen mijn neus voordat ik begin te lezen. Sanne heeft dit papier beetgehad. Op de plaats waar mijn vingertoppen staan, stonden die van haar. De letters die ik straks zal lezen, heeft ze voor mij geschreven. Ze heeft aan mij gedacht.

Ik wil haar woorden nog niet lezen. Ik wil het uitstellen, genieten van het moment dat ik weet dat ze er zijn, maar ze nog niet ken. De gespannen verwachting nog even levend houden. Me verheugen op iets omdat ik niet weet wanneer ik weer iets heb om me op te verheugen.

Als er een paar minuten later op de deur wordt geklopt en de ambassadevrouw vraagt of ze binnen kan komen, roep ik: 'Nee, wacht even.' En dan lees ik Sannes woorden.

Lieve, lieve Jim,
Vanmorgen heb ik op de televisie gezien wat er met je is
gebeurd. Dat je uit de bus werd gehaald en in een ander busje
werd gezet.
Ik weet niet waar je nu bent maar denk dat ik ongeveer het-
zelfde heb meegemaakt. Ik werd in zo'n zelfde busje gezet en
naar een plek gebracht waar ik werd verhoord. Ik kon niets
vertellen aan de politie, jij vast ook niet. Maar ik mag nu
naar huis.
Van jou weet ik niets. Niemand wil me iets vertellen en dus
moet ik maar raden. Ik raad dat ze jou langer houden omdat
ze zoveel vragen over jou aan mij stellen. Ik snap niet waar-
om. Het enige dat ik voortdurend van me heb laten horen is
dat jij en ik van niets wisten. Dat jij het boek zelfs niet wilde
aannemen maar dat ik aandrong.
Dat spijt me zo, Jim. Ik haalde je over en daarom is dit alles
gebeurd. Ik ga nu naar Nederland en hoop dat ik je daar weer
zie. Dat ik ongelijk heb en ze jou ook laten gaan.
Als dat niet het geval is, weet dan dat ik alles zal doen om je

vrij te krijgen! Alles! En mijn moeder ook. Die is hier bij me.
Ze heeft me geholpen met van alles en voor jou ook haar best
gedaan. Ik hoop dat dat heeft geholpen.
Hou je taai, Jim, wat er ook gebeurt. Als ze je inderdaad lan-
ger houden, weet dan dat ik elke avond voor het slapengaan
de maan zal zoeken. Vijf minuten achter elkaar zal ik alleen
naar die gele schijf kijken en aan jou denken. Ik ga proberen
jou elke avond via mijn gedachten een boodschap van mij te
sturen.
En als we elkaar weer zien, laat ik je nooit meer los. Dan gaan
we dansen in The Element en een pizza eten bij Napolitana,
oké? Ik trakteer, hou me er maar aan.

Dag Jim,
Liefs,
Sanne

Ps: o ja de groeten van mijn moeder.

Met haar is alles goed, is het eerste dat ik me bedenk. En daarna: *zij mag naar huis.* Verdomme, zij mag naar huis en ik niet! Waarom? Eline van de ambassade kijkt weer om de hoek. 'Waarom mag zij naar huis en ik niet!' smijt ik recht in haar gezicht. 'Heeft dat te maken met mijn kleurtje? Met mijn Marokkaanse ouders? Waarom? *Waarom?*'
'Het spijt me...'
'O ja? Spijt het je? Haal me hier dan uit!'
Ik zie amper dat de deur achter haar opengaat totdat ze zich omdraait en met haar hoofd schudt naar de bewaker die naar binnen wil stappen. 'Just a cup of coffee,' hoor ik haar zeggen. 'Luister.'
Weer legt ze haar hand op mijn arm. Ik wou dat ze dat niet deed. Op een onbegrijpelijke manier werkt dat op mijn traanklieren.

'Ik wens je echt erg veel sterkte,' zegt ze. 'Geloof maar dat wij op de ambassade ons best zullen doen je zo snel mogelijk hieruit te halen. Ik zal hoe dan ook regelmatig van me laten horen, oké?'

Ik zwijg. Mijn lichaam weegt ineens honderdvijftig kilo. Wat moet ik nog zeggen? Ik voel me als een kind dat vlak voor een ernstige operatie in het ziekenhuis door zijn ouders wordt verlaten.

'Dag Jamal.'

Shit, denk ik als de deur achter haar rug gesloten is en ik mijn neus heb afgeveegd aan mijn mouw. Hoe krijg ik die kloothommels zover dat ze mij ook laten gaan?

JAMAL

Mijn cel begint al een beetje thuis te voelen. Ik ben zelfs blij als ik weer op mijn bed zit en de deken om me heen kan slaan. Alleen jammer dat de roomservice lousy is: ik zou best een kroketje mayo lusten.

Ik schuif mijn rug tegen de muur en denk aan mijn echte thuis. Misschien belt Eline van de ambassade precies op dit moment wel om te vertellen wat er allemaal gebeurd is. Mijn vader en moeder zullen zich kapot schrikken. Mijn moeder vooral als ze hoort dat mijn hele achtergrond wordt gecheckt. Inclusief zijzelf, mijn vader en die klieren van broertjes van me.

Niet dat iemand bang hoeft te zijn dat er iets gevonden wordt. Wat zou er moeten zijn? Mijn vader leeft een voorbeeldig leven voor een allochtoon, hij fietst, eet kaas op zijn brood en doet zijn best goed Nederlands te spreken; mijn moeder... tsja, die is mijn moeder. Maar ook zij doet niets kwaaiers dan mij en de broertjes af en toe een hengst verkopen. Ik kan me niet voorstellen dat de geheime dienst daar veel tegen heeft. Waarschijnlijk vinden ze daar dat Marokkaanse kinderen juist veel vaker hengsten moeten krijgen. Krijgen we misschien eindelijk meer respect voor andermans eigendommen.

Ik voel me iets prettiger dan vanmiddag. Dat onderzoek van de geheime dienst kan er alleen maar toe leiden dat ze me snel op vrije voeten stellen. Laat ze maar direct met hun speurwerk beginnen.

Ik strek mijn benen en voel hoe stram mijn kuiten voelen. Ah... Mijn kroketje mayo voor een partijtje voetbal.

Heb ik trouwens geen recht op wat frisse lucht? Dat krijgen alle gevangenen toch? Ik loop naar de deur en bonk. 'Hé!'

Geen reactie.

'Guard!' schreeuw ik en bonk nog een paar keer. De zijkant van mijn vuist begint al beurs te voelen als er eindelijk een luikje wordt geopend.

'Yes?' zegt een onzichtbare mannenstem.

'Can I go outside for a moment?' vraag ik. 'To get some fresh air?'

'Wait.' Het luikje wordt weer dichtgeschoven.

Enkele minuten later krijg ik te horen dat er vandaag geen kans is op luchten maar 'maybe tomorrow'.

Wanneer ik vier stappen heen en vier stappen terug sjok door mijn cel realiseer ik me hoe een kistkalf zich moet voelen. Had ik mijn voetbal maar. Ineens moet ik denken aan die commercial waarin Ronaldo – niet mijn favoriete speler, maar oké – op een zuil staat met een bal. Balancerend om niet omlaag te donderen, houdt hij die bal hoog. Dat kan ik ook met een echte. Maar met een fakebal moet het nog beter lukken. Ik strek de tenen van mijn rechtervoet als om een bal te scheppen en begin hem omhoog te houden. Hardop tel ik mee. 'Eén, twee, drie, vier – even een hakje tussendoor – vijf, zes, zeven…'

Het valt niet mee met die ietwat te grote, los om me heen zittende overall en ik neem me voor de volgende keer gewoon in mijn nakie te gaan staan. Niemand die me ziet.

Ondanks de overall haal ik die eerste keer vijfendertig voor ik mijn kuiten begin te voelen. Morgen moeten het er veertig worden. En als ik tegen die tijd vrij ben, doe ik het met een echte bal.

Lichtelijk vermoeid ga ik op mijn bed liggen en denk aan Achmed. Die had waarschijnlijk de tachtig nog wel gehaald. Achmed. Driftige Achmed Karaoui. Ik heb hem al zeker een halfjaar niet gezien. Hij, Farid en de anderen konden het niet zo goed hebben dat ik naar het vwo ging. Elke keer dat ik hen daarna opzocht om een lekker balletje te trappen begonnen ze over nerds en irritante studieballen en verraad van mijn achtergrond.

Ik begreep er geen moer van. Zo kende ik ze niet. Op de basisschool kon ik ook best goed leren, niemand die daar ooit over 'nerdisme' begon. Na een tijdje kreeg ik genoeg van hun opmerkingen en begon ik die gasten te ontwijken. Waarschijnlijk hoefden ze mij ook niet meer zo nodig, want het duurde niet lang voor ze me steeds minder kwamen ophalen en ik ze met vreemden van buiten onze wijk zag spelen.

Het laatste dat ik van Achmed weet, is dat hij opgepakt werd vanwege een gigantische vechtpartij na afloop van een wedstrijd Go Ahead Eagles – NEC. Het verbaasde me niets. Als er wat te vechten viel, rende Achmed als een stormram naar de voorste gelederen.

Joesef kwam nog wel af en toe langs. Ik weet dat hij anderhalf jaar terug een ernstig ongeluk heeft meegemaakt. Hijzelf was er redelijk goed afgekomen, met een gebroken arm. Maar kleine Mariam, zijn zusje, had meer dan een week in coma gelegen en heeft uiteindelijk een lichte hersenbeschadiging aan het ongeluk overgehouden. Joes is sindsdien serieuzer geworden. Mijn vader vertelde ooit dat hij hem vrijdags vaak in de moskee zag met zijn vader en broers en dat hij dan net als de oudere mannen een djellaba droeg. Voor zover ik wist liet ook hij zich niet vaak meer zien op het voetbalveld.

Ach ja, mijn oude vrienden.

SANNE

De reis naar huis beleef ik als in een droom. Inchecken op Heathrow, in een vliegveldrestaurant een kop soep eten die nergens naar smaakt, instappen in zo'n vliegtuig… Het is alsof ik buiten mezelf sta.

Met de taxi, die al klaarstaat op Zestienhoven, komen we laat in de avond thuis. Ik ben blij als ik eindelijk op mijn eigen bed zit. Er liggen nog twee shirtjes op; maandagmorgen heb ik tot aan mijn vertrek getwijfeld of ik ze mee zou nemen. Nu vouw ik ze als een zombie tot een klein pakketje en leg ze op een stapeltje in mijn kast. Tegen de lamp op het tafeltje naast mijn hoofdeinde staat de foto van Jim. Ik pak hem en hou hem tegen mijn hart. Zou mijn briefje hem hebben bereikt? Weet hij dat ik aan hem denk?

Ik verlang ontzettend naar een hete douche maar heb de kracht niet om me naar de badkamer te slepen. Ik trek mijn kleren uit en kruip onder mijn dekbed, met Jims foto tegen me aan.

JAMAL

'Morning,' zegt de bewaker van de gel. Hij zet het dienblad op het tafeltje neer. De keukendienst van deze gevangenis heeft geen ingewikkelde taak: boterhammetjes in de rooster, thee zo lang laten staan dat-ie ondoorzichtig wordt, melk opwarmen, kuipjes jam op het blad smijten, klaar. Ik kan me niet voorstellen dat je daar een koks- of restaurantopleiding voor nodig hebt.

'Fifteen minutes,' zegt de bewaker.

Ik ben hier nog maar twee dagen maar de routine is al zo duidelijk dat verdere toelichting overbodig is. Ik leeg het theebekertje in de wastafel, vul het met water, prop de geroosterde boterhammetjes met aardbeienjam naar binnen en was me een beetje. Ook al heb ik nauwelijks ruimte om te bewegen, toch zou het lekker zijn wanneer ik me weer eens kon douchen. Zou er in dit gebouw niet ergens gedoucht kunnen worden?

Voor de spiegel bestudeer ik mezelf. Onder mijn ogen zitten donkere kringen. Kan toch niet komen doordat ik het te druk heb. Ik ben nog steeds blij met de gel van de bewaker, ook al is het niet mijn merk en blijft mijn haar niet zo goed zitten als ik gewend ben. Zo goed en zo kwaad als het gaat werk ik mijn plukken omhoog. Het is een precies werkje. Nog voor ik klaar ben gaat de deur weer open.

De bewaker doet zonder te praten een stap opzij. Eruit! betekent dat. Ik hou nog snel even mijn handen onder de waterkraan en loop langs hem heen. Bij de deur naar het trappenhuis wacht ik tot hij naast me staat. Voor mij gaat de deur niet open.

Even later zit ik voor de derde keer in de verhoorkamer. Ik kan het niet laten en zwaai even naar het spiegelglas. Ze moeten niet denken dat ze mij eronder krijgen door me in eenzame opsluiting te zetten. Een onschuldige heeft geen reden om te kruipen. Zelfs niet voor Engelse detectives. Vandaag zal ik de rollen eens omdraaien, heb ik me voorgenomen. Vandaag zal ik hun eens wat kritische vragen stellen.

Waiter, Ferguson en Kuiper komen vijf minuten na mij binnen. De Engelsen gluren alleen maar even vanonder hun borstelige wenkbrauwen naar mij. Kuiper klopt even tegen mijn bovenarm. Vriendjes, denk ik.

'Hoe is 't ermee?' vraagt hij.

'Wat denk je?' kaats ik terug.

Hij zucht. 'Ik begrijp dat dit allemaal heel vervelend voor je is maar...'

'Laat me dan gaan!'

'Luister, Jamal. Persoonlijk geloof ik best dat je hier per ongeluk bent terechtgekomen, maar we kunnen gewoon niet het risico nemen dat je wel iets van plan bent of was. De wereld is te onzeker geworden.'

'Wat koop ik voor die lulkoek?'

'Werk mee, jongen,' zegt Kuiper. 'Dat is het enige advies dat ik kan geven.'

'Dank,' zeg ik sarcastisch. 'Dat zou ik zeker doen als ik iets mee te werken had. Maar nu we toch zo gezellig aan het praten zijn: vertel me eens, hoe staat het met jullie onderzoek naar de kerels die me de bom in handen duwden? Hebben jullie iets aan mijn beschrijvingen?'

'We kunnen je niets vertellen over de voortgang van het onderzoek,' zegt Kuiper stijfjes.

'Waarom niet? Ik maak toch deel uit van dat onderzoek? Het minste dat jullie kunnen doen is me vertellen hoe het ervoor staat.' Nu

111

ik eenmaal begonnen ben, ratel ik door. 'Het lijkt me dat er nogal wat vragen zijn. Zoals: waarom schakelden die lui een onschuldige in om hun aanslag te plegen? Is dat niet ontzettend vreemd? Het is toch een eer om voor Allah te sterven? Dan ben je toch verzekerd van een eerste klas plaats in het hiernamaals met weet-ik-hoeveel knappe vrouwen om je heen?'

'Jamal...' begint Kuiper.

Ik geef hem geen kans. 'Waarom lopen die kerels bewust zoveel eer en succes bij de vrouwtjes mis? Krijg je die soms ook als je een aardige jonge knul zo gek krijgt dat hij jouw rotklusjes opknapt? Hebben jullie daar wel eens over nagedacht? En hebben jullie, knappe jongens, dan ook bedacht dat hun aanpak hun de mogelijkheid geeft in eigen persoon ook nog een aanslag te plegen?'

Ferguson gebaart naar de agent bij de deur.

'Ja,' zeg ik sarcastisch. 'Sluit me maar in de boeien. Dat zal helpen.'

Ik zie hoe Waiter zijn hand heft, de agent blijft staan waar hij staat. 'Dank je,' zeg ik. 'Ik ben bijna klaar.' Ik tik met mijn vingertop op de tafel. 'De tijd die jullie nu stoppen in het zinloze verhoren van een scholier uit Deventer gaat ten koste van speurwerk naar de echte terroristen. Denk je dat de Engelse bevolking erg blij met jullie zal zijn wanneer er nieuwe lijken in de straten liggen omdat jullie je bezig hebben gehouden met mij in plaats van met het werkelijke gevaar?'

'Zoals ik zojuist zei kunnen we niet ingaan op de rest van ons onderzoek,' herhaalt Kuiper. 'Maar je kunt van ons aannemen dat we op verschillende fronten bezig zijn. Jouw vragen hebben totaal geen zin, Jamal, ze zorgen er alleen maar voor dat jij hier langer zit dan nodig.'

'Goh,' zeg ik sarcastisch. 'Dat is nou jammer, ik had nog zoveel leuke plannen voor vandaag.'

'All right,' doorbreekt Waiter dit prettige gesprek. 'Tell us about your Muslim friends.'

Ik sla mijn blik neer. Mijn vingers jeuken. Ik begin allergisch te worden voor dit soort vragen. Aardig snel. Na drieënhalf jaar bij Van Kolk in de klas had ik verwacht dat ik onzinbestendiger zou zijn geworden.

'Je Marokkaanse vrienden,' zegt Kuiper.

'Ik ben niet doof. Wat moet ik over ze vertellen?'

'Hebben jullie het wel eens over de islam?'

'Niet vaker dan met mijn Nederlandse vrienden over hun God.'

'Is een van hen in dat verband erg veranderd de laatste jaren?'

Ik denk aan Joesef en zijn kleine zusje. 'Nee.'

'Hebben jullie het wel eens over ongelovigen?'

'Wat bedoel je?'

'Dat Nederlanders ongelovigen zijn? Of christenen in het algemeen?'

'Christenhonden en zo,' zeg ik. 'Ketters, barbaren…' Ik zie de ogen van Ferguson en Kuiper oplichten.

'Ja,' zegt Kuiper.

'Nee.'

Kuiper kijkt Waiter even aan. Die schuift een papier naar voren met een heleboel tekst.

Ik kan het niet helpen. Nieuwsgierig probeer ik te lezen wat erop staat. Kuiper bedekt de tekst onmiddellijk met zijn hand.

'Achmed Karaoui,' zegt hij.

Mijn hart verplaatst zich in de richting van mijn keel.

'Wat is er met hem?'

'Zit die in jouw kennissenkring?'

'Ik heb met hem op de basisschool gezeten,' verbeter ik. 'Zelfs naast hem. Ik heb ook aardig wat keren met hem gevochten.' Voor de volledigheid.

'Diezelfde Achmed Karaoui is minstens een keer bij Mohammed Bouyeri thuis geweest in Amsterdam.'

'O.' Wat moest ik in vredesnaam met die kennis?

'Weet je daar iets van?'

'Hoe zou ik? Ik heb Achmed al tijden niet meer gezien.'

'Ooit iets gemerkt van zijn sympathieën?'

'Ja, voor een heleboel voetballers, maar niet voor islamitische terroristen.'

'Kun je je voorstellen dat hij die sympathieën heeft?'

'Achmed houdt van rotzooi trappen. Hij heeft losse handjes, maar verder…'

'Je zegt dat je hem tijden geleden voor het laatst hebt gezien. Waar?'

Ik wil best meewerken maar hier word ik zo ontzettend moe van. Ik slaak een zucht en zak onderuit. 'Weet ik veel!'

'In de moskee?'

'Kan, maar denk ik niet. Daar kom ik niet zoveel.'

'Maar je gaat daar wel eens naartoe?'

'Ja, een, twee keer per jaar. Om mijn ouders te plezieren.'

'Welke moskee?'

Ik zie dat hij op zijn blaadje kijkt. 'Welke wordt daar genoemd?' vraag ik. 'Ik zeg wel of het klopt.'

Kuiper kijkt me aan alsof hij zich betrapt voelt. Met open blik kijk ik terug. Hij moet vooral niet denken dat ik de eerste de beste achterlijke arrestant ben.

'De Alfathmoskee,' zegt hij langzaam.

'Dat zou best wel eens kunnen zijn,' zeg ik tevreden.

Bij zijn rechterooghoek begint iets te trillen. Voor het eerst zie ik tekenen dat hij ook niet over zo'n grote zelfbeheersing beschikt. Zouden ze daar niet in getraind worden?

'Kun je dat zelf bevestigen?'

'Ja,' zeg ik. 'Maar zoals ik al zei, ik ga niet zo vaak. Ik heb niet zoveel met het geloof – ik vertrouw meer op mezelf.'

'Heb je Karaoui in de Alfathmoskee gezien?'

Zucht…

De vragen gaan nog een tijd door. Over mijn vrienden, mijn vader, mijn geloof... Ik heb het gevoel dat we in een kringetje ronddraaien en kan me niet meer concentreren. Als een voorgeprogrammeerde robot geef ik antwoord. Ik word pas weer wakker als ik Kuiper tegen Waiter en Ferguson hoor zeggen: 'Shall we end this session?'

'Ja!' zeg ik gretig in hun plaats en ga rechterop zitten. 'Maar voordat jullie me weer in mijn hok zetten, heb ik *nog* een paar vragen. Misschien dat jullie me daar wel antwoord op willen geven.'

'Probeer maar.' Kuiper buigt zich naar voren.

'Hoe lang moet ik hier nog blijven?'

'Kan ik geen antwoord op geven. Dat hangt af van het verdere onderzoek.'

'Dat zal niets opleveren,' zeg ik. 'Ik heb namelijk geen banden met Al-Kaida of extremisten. Mijn ouders ook niet, mijn vrienden niet, mijn broertjes niet. Dus waarom laten jullie me niet gelijk gaan?'

'Je bent een slimme jongen. Je weet best dat het niet zo simpel is.'

'Ik ben niet slim genoeg om dat te snappen,' zeg ik. 'Kunnen jullie dan iedereen zomaar oppakken en dagenlang vasthouden?'

'Wekenlang, als het moet,' beaamt Kuiper. 'In Nederland kan dat niet, trouwens. Wij hebben geen Terrorist Act.'

Ik krijg het ineens erg warm. Dank voor mijn 'olijfkleurige' huid. Zelfs als ik bloos is dat nauwelijks te zien. Of als ik uit elkaar dreig te klappen van een plotselinge paniekflits. Ik probeer krampachtig mijn stem te beheersen.

'Dus ik zit hier misschien over een paar weken nog?'

'Misschien.'

Ik slik. 'Een paar maanden?'

'Wie zal het zeggen?'

'Waarom is Sanne dan vrijgelaten? Waarom zij wel en ik niet?'

Kuiper kijkt de anderen aan.

'Daar geef je zeker geen antwoord op,' schamper ik.

'Ik kan niet anders zeggen dan wat ik eerder al heb gedaan. Er moet bij jou nog wat nader onderzoek volgen.'

'En bij Sanne dus niet.' Er komt gal uit mijn maag omhoog.

'Bij Sanne niet.' De vanzelfsprekende toon van Kuiper irriteert me in hoge mate.

'Weet je wat ik van jullie vind…?' vraag ik.

'Ik heb zo'n vermoeden. Misschien is het beter dat je dat niet uit-spreekt.'

'Nee, misschien is dat beter…' Voor het eerst ben ik het een klein beetje eens met Kuiper. 'Maar weet dat ik dat wél denk!' Ik sta op en loop naar de deur. 'En breng me nu maar terug. Ik ben jullie koppen spuugzat.'

SANNE

Ineke maakt me wakker. Het is nog donker. Ik heb het gevoel dat ik er net in lig.

'Wat is er?' mompel ik slaapdronken.

'Ik ga straks naar mijn werk, maar ik heb met meneer Bakhuijs afgesproken dat jij straks naar school komt om tekst en uitleg te geven.'

'Bakhuijs?' Ik knijp mijn ogen dicht. Ik heb niets tegen die man, maar ook niets vóór hem. We moeten naar hem toe als we het echt te bont hebben gemaakt op school. Dat is mij nooit overkomen. Toch is zijn imago ook bij mij dat van grote boeman. 'Ik krijg toch niet van hem ook op mijn donder, hè?'

'Welnee,' zegt Ineke. 'Daar zijn we nu wel over uit. Jij hebt niets verkeerd gedaan. Jim ook niet. Jullie zijn gewoon slachtoffer van deze tijd, met al die angst voor aanslagen.'

Ik zucht. 'Wanneer moet ik bij Bakhuijs zijn?'

'Negen uur.'

'Negen uur?! Hoe laat is het nu?'

'Bijna acht.'

'Jezus!' Ik schiet overeind. 'Dan moet ik opschieten.'

Ineke wrijft kalmerend over mijn hoofd. 'Welnee, ik breng je even. Je hoeft niet dat hele eind op de fiets.'

'En hoe kom ik dan terug?'

'Ik geef je geld voor een taxi.'

Een dik uur later loop ik de hal van de school binnen. Hans, de conciërge, staat me al op te wachten, lijkt het.

'Zo?' zegt hij. 'Hoe is het?'

'Weten jullie er ook al van?' zeg ik half verlegen.

'Joh… De hele schóól weet het. Het ging als een lopend vuurtje door het gebouw. Terroristen op school!'

Met een ruk draai ik me om. 'Terror…' begin ik, maar dan zie ik de grote grijns op zijn gezicht.

'Ach kind, dacht je dat ook maar iemand hier gelooft dat zo'n lief meisje als jij en zo'n schreeuwlelijk als Jim een bomaanslag zouden willen plegen? Kom nou.'

Ik grijns onhandig terug. 'Het was anders wel heel echt. Dat oppakken en zo.'

'Dat kan ik me voorstellen. Kom, ik breng je snel naar Bakhuijs. Die zal wel op je wachten. Er hebben al een paar kranten aan de bel gehangen.'

'Kranten…?'

'Dat vertelt de rector je wel.'

Dat heb ik nog nooit meegemaakt! Bakhuijs die opstaat zodra ik zijn kamer binnenkom, die vanachter zijn bureau vandaan komt om mij een hand te geven! Wat voor ontvangst staat Jim dan te wachten?

'Gaat het goed met je?' Over de rand van zijn leesbril kijkt hij me bezorgd aan.

'Nu wel.' Ik weet me niet zo goed een houding te geven. Wanneer ik met mijn viool op het toneel sta kan het me niet schelen hoeveel mensen er kijken en wie die mensen zijn. Maar al die aandacht vanwege dat stomme gebeuren in Londen bevalt me niets.

'Vertel me eens vanaf het begin wat er precies is gebeurd?'

Alweer? Ik wil alles juist vergeten!

Ik denk dat Bakhuijs mijn onwil ziet.

'Wacht even,' zegt hij. 'Misschien moeten we eerst maar een kopje koffie nemen. Kan ik iets voor je laten brengen?'

Ik denk aan de warme chocola die onze lerares Nederlands vaak op haar tafel heeft staan en zeg dat ik dat wel lust. Zo vaak krijg ik de kans niet om iets uit de koffiekamer van de docenten te gebruiken.

Bakhuijs neemt de telefoon op en bestelt bij zijn secretaresse een koffie en een chocolademelk.

'Heb je wel goed geslapen vannacht?' vraagt hij terwijl we op het bestelde wachten.

'Als een blok.'

'Heel wat beter dan de nacht ervoor, niet?' Hij glimlacht. 'Ik heb nooit een nacht in een cel doorgebracht, maar het lijkt me niet erg comfortabel.'

'Is het ook niet.'

'Goed,' zegt hij wanneer ik mijn eerste slokken heb genomen. 'Nu kan ik mijn nieuwsgierigheid echt niet langer bedwingen. Vertel.'

En weer doe ik mijn verhaal.

'Tsjonge,' zegt hij na afloop. 'Die arme Jim.' Hij fronst zijn voorhoofd en lijkt diep na te denken. 'Over een halfuur heb ik een afspraak met mijn collega-conrectoren,' zegt hij. We moeten eens goed nadenken over wat wij, als school, voor Jim kunnen doen. We laten hem daar natuurlijk niet barsten.'

Ik hou mijn adem in. 'Gaat u iets doen?'

'Ja natuurlijk. Wat dacht je dan?'

Dat valt me honderd, wat zeg ik, *duizend* procent mee.

'Misschien hebben we wel jouw hulp daarbij nodig,' zegt hij langzaam.

'Hoe bedoelt u?'

'Stel dat we de media inschakelen. Er hebben gisteravond al een paar kranten naar mijn huisadres gebeld. Ook landelijke kranten. Die zijn geïnteresseerd in het verhaal van jou en Jim.'

'Ja en?'

'Mogen we jou eventueel vragen zelf alles te vertellen?' Hij zegt het meer tegen zichzelf dan tegen mij, lijkt het. 'Daar moet ik natuurlijk met je moeder over spreken. Maar hoe sta jij er zelf tegenover?'

'Natuurlijk wil ik dat!' zeg ik hartgrondig. 'Jim moet vrij!'

'Mee eens. Ik zal je moeder bellen.' Hij grijpt meteen de telefoon. Ineke heeft geen enkel bezwaar, hoewel ze er wel op staat erbij te zijn wanneer mij een interview wordt afgenomen. Ik had niet anders verwacht.

Ik heb niet zoveel zin om naar huis te gaan en leen *De Passievrucht* in de schoolbieb. Het is een boek dat me op het eerste gezicht niet zo aanspreekt maar Marieke Kempenaar van Nederlands heeft het me met klem aangeraden: 'Echt iets voor jou. Dat zul je zien.'

Met dat boek ga ik in de studiehal op de tweede verdieping zitten. Er zitten allerlei leerlingen maar niemand die ik echt ken en ik voel me een beetje alleen.

Algauw komt er een meisje uit, ik meen, zes vwo naast me staan. 'Zeg, ik heb iets raars gehoord,' zegt ze. 'Klopt het dat jij op werkweek in Londen was en daar bent opgepakt?'

Ik knik. Ik heb geen zin om weer het hele verhaal te vertellen en probeer te doen alsof ik in mijn verhaal ben verdiept. Maar ze trapt er niet in.

'Vertel eens?'

'Alsjeblieft…' mompel ik. 'Vind je het erg?'

'Nee, nee natuurlijk niet,' zegt ze. 'Gewoon nieuwsgierigheid.' Maar ze geeft het niet op. 'Mag ik wel vragen of het goed met je gaat? Je ziet zo wit.'

'Het waren niet bepaald de leukste dagen van mijn leven,' zeg ik een beetje bot.

'Ik begrijp het. Als ik iets voor je kan doen? Of mijn klasgenoten?' Ze druipt af en gaat een lokaal binnen.

Weer probeer ik me te verdiepen in *De Passievrucht*, maar ik kom niet verder dan de eerste regels. Ze dringen gewoon niet tot mijn hersens door.

Voortdurend denk ik aan Jim. Wat doet hij nu? Waar is hij nu?

Na een dik uur komt Bakhuijs me halen. Hij vertelt me dat de schoolleiding inderdaad actief de pers gaat opzoeken om Jim vrij te krijgen. Op ditzelfde moment is een journalist van een landelijke krant op weg naar Deventer om met mij te praten. Aan het begin van de avond zullen er meer journalisten komen, zelfs van radio en televisie. Die worden allemaal tegelijk te woord gestaan in een persconferentie waar ik niet bij hoef te zijn als ik niet wil. Bakhuijs zelf zal het woord doen, daarbij bijgestaan door de advocaat van de school. Ook vertelt hij me dat Carien en Van Kolk de werkweek vervroegd hebben beëindigd. Onze klas is onderweg naar huis en zal nog deze middag aankomen.

Op een rare manier maakt de laatste mededeling veel in mij los en zonder dat ik het kan voorkomen barst ik in huilen uit. Bakhuijs legt een hand op mijn schouder.

'Misschien is het toch beter wanneer je straks na het interview naar huis gaat,' zegt hij. 'We verwachten je klas om ongeveer zes uur, halfzeven — om zeven uur begint de persconferentie. Als ik je nu eens om even voor zes laat halen?'

'Mijn moeder kan me brengen,' snif ik. 'Ik wil er in elk geval zijn als de anderen aankomen.'

'Dat begrijp ik.' Ik heb Bakhuijs nooit zo begripvol gevonden als nu. 'Maar alle spanning moet er ook uit kunnen komen. Ga vanmiddag maar lekker slapen.' Hij kijkt even op zijn horloge. 'Je moeder komt over een kwartiertje. Zij zal bij het interview aanwezig zijn. Ik zal Hans opdracht geven haar hiernaartoe te sturen.'

Als ik thuis aankom, ben ik doodmoe en verschrikkelijk onrustig. Tegen die onrust helpt maar één ding: achter de piano kruipen. Mijn hoofd staat niet naar een vrolijk stuk en ik begin aan een stuk van Bach. Ik hoor zelf dat het niet erg zuiver klinkt en probeer me te concentreren – als mijn spel in mijn hoofd zit, moet alle stress er wel uit lopen. Voor allebei is geen ruimte.

En inderdaad, tegen de tijd dat ik drie kwartier gespeeld heb, voel ik me alleen nog maar moe.

Ineke heeft me al die tijd met rust gelaten, ze is de keuken ingedoken om een pan soep te maken. Dat lust ik bijna altijd, maakt niet uit wat voor soep. Maar nu kost het me moeite mijn kom leeg te eten. Mijn ogen willen nauwelijks meer open blijven. Ineke begrijpt het wel.

'Ga maar even liggen,' zegt ze. 'Ik roep je straks weer.'

Een goed advies op dit moment. Ik volg het meteen op.

Ik sta tussen ouders en leraren op de stoep te wachten wanneer de bus uit Londen komt aanrijden. Naast me staat een televisiecamera die alles filmt. Voor het raam van de bus zie ik de gezichten van Vincent, Michael en Carien. Als Vincent mij ontdekt, zwaait en wijst hij naar me. Achter hem duiken meer gezichten op. Ze zoeken me allemaal en zwaaien uitbundig.

Ik zwaai terug en voel een soort knoop in mijn maag. Iedereen zal straks vragen aan me willen stellen over de gebeurtenissen van dinsdag. Zouden ze Jim en mij verwijten dat de werkweek in het honderd is gelopen? En hebben ze de spullen die we hebben achtergelaten in de jeugdherberg voor ons meegenomen?

Zodra de deur van de bus openschuift komt Carien naar buiten. Ze slaat haar beide armen om me heen.

'Hoe is het, meid?' vraagt ze. 'Alles goed doorstaan?'

Ik voel me een beetje in verlegenheid gebracht. Iedereen lijkt naar ons te kijken. Maar dan wordt Carien opzij geduwd door Vincent.

'Hé kanjer!' roept hij hard en kust me op beide wangen.

Ik voel me warm worden. 'Dag Vincent,' zeg ik en lach een beetje scheef. Ik kan niet vergeten dat achter me die camera staat te draaien. Misschien is dit over een uur wel op het NOS-journaal.

'Hoe was het in de bajes?' vraagt hij.

'Niet voor herhaling vatbaar.'

Na Vincent komen alle anderen die me kussen, onhandig op mijn schouders kloppen of door mijn haar woelen. Nooit geweten dat ik zo populair was. Wat staat Jim te wachten wanneer hij thuiskomt? vraag ik me voor de tweede keer vandaag af.

De ouders worden opgescheept met rugzakken en andere bagage en de hele klas gaat mee naar de persconferentie. Het ziet er indrukwekkend uit in de aula. De tafels zijn weggehaald. Daarvoor in de plaats staan de stoelen in een theateropstelling met achterin een boel ruimte voor camera's, gigantisch felle lampen en staanplaatsen. Ik wil achteraan blijven staan bij mijn klasgenoten maar Bakhuijs wenkt me naar voren. Ineke is er ook. Ze komt naar me toe en legt een arm om mijn schouders.

'Waarschijnlijk zal jou niets worden gevraagd,' zegt ze zacht. 'Bakhuijs kent het hele verhaal van A tot Z en zal vanavond de situatie van Jim benadrukken. Zijn familie is hier ook, zie je?' Ze wijst naar een donkere man die ergens achteraan staat.

'Moet hij niet ook naar voren komen?' vraag ik. 'Het is Jims vader.'

'Ik zal meneer Bakhuijs zo wel even op hem wijzen.'

Stil blijven we naast elkaar staan staren naar de drukte om ons heen. Nog meer camera's worden opgesteld. Helemaal vooraan zit de schrijvende pers – mannen en vrouwen met kleine notitieboekjes in de aanslag. Ze kijken nieuwsgierig naar mij en mijn moeder.

Vlak voor zeven uur gebaart Ineke naar Bakhuijs. Hij begrijpt de wenk onmiddellijk en loopt naar meneer Moqliya. Met vriende-

lijke gebaren neemt hij hem mee naar de brede tafel op het podium waar een formeel geklede dame al zit te wachten.

'De advocaat van de school,' fluistert Ineke. 'Let op, het gaat beginnen.'

Bakhuijs gaat achter de tafel staan en tikt met een lepeltje tegen
een glas. 'Dames en heren, het is zeven uur. Ik zou graag beginnen.'

Als wij zo goed luisterden naar onze leraren, hadden ze nooit meer
iets te klagen. De zaal wordt ogenblikkelijk stil.

'Wij hebben u hier uitgenodigd om aandacht te vragen voor de
situatie van een van onze leerlingen die op dit moment onschuldig in een Engelse cel zit. Hij is daar terechtgekomen door een vreselijk misverstand.'

Ik kijk naar meneer Moqliya. Hij zit in elkaar gedoken en met zijn
ogen op de tafel gericht naast de rector. Als zijn houding weer-
spiegelt hoe hij zich voelt, dan is dat op dit moment niet best.

'Ik zal u vertellen wat er aan de arrestatie voorafging.' Bakhuijs
begint met de jaarlijkse werkweek van vier vwo en beschrijft hoe
Jim en ik van onze medeleerlingen afgedwaald waren. Hij doet
haarfijn uit de doeken hoe de drie mannen contact met ons hadden gezocht en ons uiteindelijk hadden verleid het boek te accep-
teren. Hij eindigt met de mededeling dat er niets bekend is over
Jims huidige verblijfplaats, over het verloop van het onderzoek
naar zijn eventuele schuld en over het tijdstip van zijn vrijlating.

Zodra hij het laatste woord heeft gesproken, barst er een hels
lawaai los. Alle journalisten willen tegelijk vragen stellen.

De advocaat neemt het over. Zij probeert zo helder mogelijk antwoord te geven, maar veel kan ze niet toevoegen aan wat Bakhuijs
heeft gezegd.

Opeens hoor ik een van de journalisten vragen of hij zich tot enkele van de leerlingen mag richten, het liefst tot het meisje dat de
gebeurtenis van dichtbij meemaakte. Een ogenblik staat mijn hart

stil. Vanuit mijn ooghoeken zie ik hoe een van de camera's mijn kant uit zwenkt.

'Ik denk niet dat dat op dit moment verstandig is,' zegt de advocaat afwerend.

'Kunnen we dat aan het betreffende meisje zelf vragen?' houdt de journalist aan. 'Vanzelfsprekend zullen we tactvol te werk gaan.'

Ik voel meer dan dat ik zie hoe iemand naast me komt staan.

'Ik ben bij je,' fluistert de stem van Vincent in mijn oor.

Vincent? denk ik verward. Wat…?

Aan de andere kant pakt Ineke mijn hand. 'Wil je het?' vraagt ze. 'Het hoeft niet.'

Ik twijfel. Ik heb al zoveel verteld. Aan zoveel mensen. Jim zou het wel weten, als hij niet nog steeds in die cel zat. Opeens weet ik het ook. 'Ja,' fluister ik. 'Ja!' zeg ik luid. 'Ik heb wel iets te zeggen.'

Ogenblikkelijk draait het hele publiek in de zaal zich naar mij toe.

'Toe maar,' fluistert Ineke.

Ik haal diep adem. 'Ik ben Sanne Nichols,' begin ik vastberaden. 'Ik was bij Jim – eh… ik bedoel Jamal – toen alles begon.' Ik gluur even naar meneer Moqliya. Die zit nog steeds enigszins voorovergebogen, maar ik zie hoe hij mij vanonder zijn wenkbrauwen aanstaart. 'Door mij is Jim hierbij betrokken. *Ik* zat vast in dat toilet van het British Museum. *Ik* zei hem dat pakketje van die mannen aan te pakken om van hun gezeur af te zijn. Het is niet eerlijk dat ik hier sta en hij nog steeds in een cel zit. Hij *moet* vrijkomen. Zo snel mogelijk. Ik kan me niet voorstellen dat Nederland hem daar laat zitten. Hij is onschuldig!'

'Ik ben de beste vriend van Jim,' hoor ik ineens naast me zeggen. Verbaasd kijk ik opzij.

'Ik ken hem tot aan zijn kleinste teen,' zegt Vincent, 'en ik kan de hele wereld verzekeren dat hij geen enkel kwaad in de zin heeft. Jim is niet iemand die een ander kwaad wenst, laat staan dat hij die ander de lucht in wil blazen. Als de Engelse politie dat gelooft, hebben ze het totaal verkeerd. Waarom vragen ze ons niet of hun beeld van hem klopt? Waarom zien ze hem niet gewoon ook als slachtoffer, iemand die hulp nodig heeft? Waarom laten ze hem niet gewoon gaan?' Vincent zwaait als een actievoerder met zijn vuist in de lucht en alsof het is afgesproken beginnen onze klasgenoten achter in de zaal te gillen en te schreeuwen: 'Vrij! Vrij! Vrij!'

De camera's zwenken van ons af en Vincent slaat een arm om mij heen. 'Vrij! Vrij! Vrij!' scandeert hij het hardst van allemaal.

Binnen in mij begint het te gloeien. Het protest van onze klasgenoten werkt aanstekelijk. Ik hef ook mijn vuist: 'Vrij, vrij!'

Als een tijdje later de rust is weergekeerd en de cameramensen bezig zijn hun apparatuur in te pakken, komt Bakhuijs naar me toe. 'Zo dame, wil je boven nog iets drinken voor je naar huis gaat? Ik denk dat we allemaal wel een kleine versterking kunnen gebruiken.'

'De anderen ook?' Ik wijs naar Vincent, die alweer naast onze andere klasgenoten staat.

'Welja,' zegt hij joviaal. 'Kom allemaal maar.'

'Wacht even,' zegt Ineke. 'Over een halfuur begint het journaal. Kunnen we daar dan ergens naar kijken?'

'Natuurlijk,' zegt Bakhuijs. 'We gaan met z'n allen kijken hoe het is overgekomen.'

Het valt niet tegen op het scherm. Ook al is ons verhaal flink ingekort, het is toch goed duidelijk wat er is gebeurd. Het protest van Vincent, mij en de klas komt pontificaal in beeld en het is niet eens erg om mezelf zo te zien.

'Nu maar afwachten,' zegt de advocaat. 'Het zou me verbazen als het hierbij blijft. Mogelijk word je dezer dagen nog vaker uitgenodigd om je verhaal te doen, Sanne. Het kan geen kwaad alvast te overdenken of je dat wilt.'

Als Ineke en ik thuiskomen ligt er een fax in mijn moeders werk-
kamer. Van de Londense ambassade – Eline van Wieringen. Zij
geeft door dat Jim mijn bericht heeft ontvangen en er blij mee was.
Hij heeft nog geen toestemming zelf terug te schrijven maar als ik
wil kan ik via het faxadres nieuwe berichten voor hem sturen.
Eline heeft met de gevangenisleiding afgesproken dat ze als ambas-
sademedewerkster elke middag een bezoekje aan Jim mag brengen.

Ik besluit morgenochtend meteen weer te schrijven. De wetenschap dat hij morgenmiddag mijn woorden zal lezen, maakt me
vreemd genoeg een beetje zenuwachtig. Ik wil goed nadenken over
wat ik hem schrijf.

JAMAL

Een paar dagen om te beginnen, had Kuiper gezegd. En dat zijn
het inmiddels.
Een paar verrotte, eindeloze dagen.
Elke dag hetzelfde. Verhoren in de morgen: vragen over mijn kin-
dertijd, mijn vrienden; mijn ouders, de moskee die we bezoeken.
Vragen over mijn ideeën. Godsdienst.
Wat moet ik in godsnaam zeggen over godsdienst? Dat Allah de
enige ware is? Dat ik geloof dat de ongelovigen met geweld tot de
islam bekeerd moeten worden? Zouden ze me dan geloven? Maar
dat geloof ik gewoon niet. Liegen of de waarheid vertellen? Mijn
leugens geloven ze waarschijnlijk; waarom mijn waarheid niet?
Ik wil vrijkomen. Dus liegen? Ik lig er echt wakker van.
Vanmiddag krijg ik weer bezoek van Eline van de ambassade. Het
is de derde keer dat ze komt. Gisteren bleef ze niet zo lang. Zoveel
is er niet te zeggen als er niets verandert.
Wel vormt ze mijn enige contact met de buitenwereld. Woensdag
kreeg ik die brief van Sanne, gisteren bracht ze er een mee van
Carien Klinkenberg.
Carien schreef dat ze erg geschrokken was van onze arrestatie. Ze
vertelde dat ze de school had ingelicht en die hele eerste avond op
het politiebureau had doorgebracht om te proberen de politie te
overtuigen van onze onschuld. Samen met Van Kolk.
Dat zal de toekomstige relatie met hem ten goede komen, denk ik.
'Meneer Moqliya, de reis naar Londen *had* een succes kunnen

128

worden. *Had*! Maar we hadden jou mee.' Ik zie dat sarcastische lachje al voor me. Mondhoeken naar beneden, de knaap van een neus gerimpeld van neerbuigend plezier.

Daar kan ik me maar beter vast op voorbereiden. Sinds de brief van Carien pieker ik over een sterke maar nonchalante reactie. Eén waarvan het lijkt of ik hem net heb bedacht.

Carien schreef ook dat ze mijn ouders zou opzoeken in Nederland en al het mogelijke zou doen om een van mijn familieleden naar mij toe te laten komen. Hopelijk was dat niet nodig, voegde ze eraan toe, omdat ik binnen enkele dagen al weer op vrije voeten zou komen. Misschien wel voordat ze zelf terug naar Nederland reisde.

Ik wist inmiddels beter. Zij ook.

De brief van Carien heb ik onder het klemmetje van mijn spiegel gestoken. Elk teken dat iemand uit de buitenwereld nog op de hoogte is van mijn bestaan, is meegenomen.

Sannes brief is andere koek. Die begroef ik met envelop en al onder mijn kussen tot het een smerig vodje werd. Aan elke centimeter heb ik geroken in de hoop dat ik een beetje van de lucht kon opsnuiven die normaal gesproken aan Sanne hangt. En – laat Vincent, Michael en de rest er nooit achter komen – ik heb zelfs gelikt aan het plakrandje van de envelop. Dichter dan dit kan ik voorlopig niet bij mijn vriendinnetje komen. Zij is inmiddels weer naar Nederland vertrokken, waar ik eigenlijk nog steeds tot in elke vezel van mijn lijf de pest over in heb. Waarom ik niet?

Maar misschien brengt vanmiddag verandering. Misschien heeft Eline van de ambassade nieuws. Ik vind haar redelijk aardig. Hoewel ze me tot nu toe nog niet heeft vrij gekregen, komt ze tenminste naar me toe. Dat *hoeft* ze niet.

Naast de brief van Carien bracht ze gisteren ook een boekje met sudoku's mee. Normaal gesproken heb ik de pest aan puzzelen, maar als je niets te doen hebt, geen boeken, geen televisie, geen anderen om je heen, dan wil je op een gegeven moment alles wel doen als het helpt de tijd te verdrijven.

Na de warme lunch – een of andere bruine drab met onherkenbare vleesdraden (ze zullen me toch geen varkensvlees voeren?) – word ik opgehaald. Ik probeer nog vlug mijn haar een beetje te fatsoeneren, meer uit gewoonte dan dat het me iets kan schelen dat het niet zit zoals het hoort. Die fase ben ik voorbij.

In het spreekkamertje waar mijn contacten met Eline-van-de-ambassade steeds plaatsvinden, zit ze al op me te wachten. Dit keer draagt ze een effen gele jurk met een vrij lage hals. Oké: ze is zo'n vijftien jaar ouder dan ik, maar toch moet ik moeite doen mijn blik af te wenden van de beginnende heuvels die in die lage hals openlijk tentoongesteld worden.

'Hoe is het vandaag?' valt ze met de deur in huis.

Haar ogen rusten onderzoekend en ook een beetje bezorgd op me. Of wil ik dat graag denken?

'Hmmm…' mompel ik. 'Heeft u nieuws?'

Ze schudt haar hoofd. 'Het spijt me. Niets wat direct leidt tot jouw vrijlating, helaas. Ik kan je wel vertellen dat er tot op hoog politiek niveau aandacht is voor wat hier gebeurt. Gisteren is er in Nederland veel aandacht geweest in de pers – jouw foto is op het nieuws getoond, het verhaal is in geuren en kleuren verteld in verschillende kranten. Kijk, deze is van vanmorgen…'

Ze graaft een krant uit haar tas.

'Bladzijde twee.'

Ik voel me bizar. Een mengeling van teleurstelling omdat ik nu, drie dagen na mijn arrestatie, nog niet weet wanneer ik terug mag naar mijn eigen land, en tegelijk opgewonden spanning bij het idee dat ik het tot nieuwsitem heb geschopt. Ik ben beroemd! Oké, ik had liever gehad dat dat was geweest omdat ik de geweldigste voetballer was van de laatste vijftig jaar of als de nieuwe Ali B., maar toch.

Mijn gezicht op de tweede pagina van de krant is vaag, geplukt van de klassenfoto die begin van het schooljaar is gemaakt. Vreemd om mezelf zo te zien. Ook fijn. Er gebeurt wat! Ook al sta ik nog niet op vrije voeten, er gebeurt wat!

'Lees het artikel maar even,' zegt Eline. 'Je klasgenoten en de rector van je school hebben hun best gedaan de pers overal bij te betrekken en die lui zijn er als een stel wespen op een glas zoete limonade op afgedoken. Ik weet dat iemand uit het parlement heeft gezegd dat ze de minister-president om opheldering gaat vragen. Er zit dus wel schot in, helaas nog niet voldoende voor jou, denk ik.' Ze staat op. 'Ik ga even een kopje koffie voor ons tweeën halen zodat jij rustig kunt lezen, goed?'

Ik neem niet de tijd om antwoord te geven. Naast mijn foto zie ik een overzichtsfoto van een zaal die ik herken als de aula van onze school. Hij is stampvol mensen. Op het podium is een lange tafel neergezet met microfoons erop. Professioneel. Net zoals je het soms ziet op de televisie bij een persconferentie. Er zit alleen nog niemand achter die tafel. Benieuwd wie daarachter plaats heeft genomen. Mensen die ik ken? Net naast het podium staat iemand die ik uit miljoenen gepikt zou hebben. Sanne. Ze draagt het felblauwe jasje dat zo lekker afsteekt tegen haar haar. Ze wendt haar hoofd een klein beetje af, waaraan je kunt zien dat ze waarschijnlijk niet wist dat de fotograaf knipte. Of wist ze dat wel en kijkt ze opzettelijk niet in de lens? Ik zie haar ervoor aan. Ze houdt er niet van om in de belangstelling te staan. Tenzij ze haar viool in haar hand heeft. Dan kan niets haar schelen.

Net naast haar is een klein stukje zichtbaar van een kop die me ook bekend voorkomt. Is dat Vincent? Wat moet die gast naast mijn schatje? God, ik wou dat ik erbij was geweest, ik had me tussen beiden in gewrongen en Vincent een klap voor z'n harses gegeven. Voor de zekerheid.

Ik moet moeite doen om me op de tekst te concentreren. Steeds weer dwaalt mijn blik af naar de hoofden van Sanne en Vincent. Het lijkt wel alsof ze juist naar elkaar toe buigen. Waarom doen ze dat? Wat bekokstoven ze met z'n tweeën?

Als Eline even later terugkeert vraagt ze wat ik van het stukje vind. Ik weet niet wat ik moet zeggen en mompel maar wat.

'Niet onder de indruk,' constateert ze droog. 'Heb je vaker op de tweede bladzijde van de grootste krant van Nederland gestaan?'

'Dat niet.'

'Wat dan?' vraagt ze.

Ik geef geen antwoord. Haal alleen mijn schouders even op. Ze hoeft niet te weten wat er in me omgaat.

'Misschien vrolijkt dit je iets op.' Ze haalt weer iets uit haar tas.

'Zit daar nog meer in?' Ik hoor zelf hoe kortaf mijn woorden klinken, maar Eline lacht en biedt me een brief aan.

'Dit is alles,' zegt ze.

'Van wie is het?'

'Kijk maar.'

Ik open de blanco envelop en haal er een dun velletje uit. Op het velletje staat een tekst in het handschrift van Sanne. Ze schrijft dat ze me vreselijk mist en vannacht niet kon slapen omdat ze steeds weer voelt hoe ik die ene nacht in de jeugdherberg tegen haar aan had gelegen.

'Heb jij dit gelezen?' vraag ik aan Eline.

'Wat denk je wel?' antwoordt ze. 'Hij was toch niet aan mij gericht? Alleen iemand van de dienst hier heeft hem gekopieerd en achteraf wordt hij vast nog gescreend door de Nederlandse rechercheur die aan het Engelse team is toegevoegd.'

'Op geheime codes, zeker.' Ik kan een sarcastische grijns niet onderdrukken.

'Zo gaat dat nu eenmaal, Jamal.'

'Hmm.' Ik buig me weer voorover. Na het inleidende gebabbel waarin ik mijn vriendin nauwelijks herken, beschrijft ze het gebeuren van gisteravond. Ze vertelt hoe onrustig en opgelaten ze zich voelde – nou mi dushi, denk ik onwillekeurig, you're not the only one – hoe de pers zich op haar had geworpen en hoe Vincent haar ineens te hulp was geschoten.

Die gast laat echt geen kans liggen. Ik kan er niets aan doen, vraag me ineens af of ze elkaar al afgelikt hebben.

Als ik hem gelezen heb, vouw ik de brief op en stop hem achteloos in mijn broekzak. 'Bedankt,' zeg ik. 'Kan ik nu weer terug naar mijn cel?'

'Hé!' Eline kijkt me met een schuin hoofd aan. 'Het komt echt wel goed. Wacht nu maar rustig af.'

'Yeah sure,' mompel ik.

Dat verdomde Engels.

SANNE

Ik blijf lang in mijn bed liggen. Het ligt lekker, behaaglijk.
Veilig.

Waarom zou ik opstaan? Ineke heeft zich hoogstwaarschijnlijk ver-
schanst in haar thuiskantoor. Heeft zeker wat achterstallige dos-
siers liggen na haar onverwachte reis naar Londen.

Naast me ligt *De Passievrucht*. Het is best mooi en meeslepend,
maar ik kan me er niet op concentreren. Telkens kijk ik naar de
foto die tegen het schemerlampje naast mijn bed staat. Het foto-
tje dat in een cabine op het Centraal Station van Deventer is genomen en waarop Jim en ik elkaar aankijken.

Jim…

Ik mis hem.

En ik maak me zorgen om hem.

Waarom heb ik nog niets van hem gehoord? Kan Eline van Wieringen er niet voor zorgen dat hij mij ook een bericht stuurt?

Ik begrijp er niets van dat hij nog altijd in de cel zit.

Niemand begrijpt het. Zelfs Ineke niet. En die is kinderrechter en
zou alles van recht en rechtspraak moeten weten.

Niet van het Engelse recht, blijkbaar. 't Schijnt dat de Britse politie
niets met de Nederlandse regels te maken heeft en zich ook niets
hoeft aan te trekken van wat in ons land normaal is. Dus kan een
Nederlandse jongen met Marokkaanse ouders eeuwen gevangen
worden gehouden in de middeleeuwse kerkers die ze in het Britse
koninkrijk nog schijnen te hebben. En mag ik, een Nederlands

meisje van Nederlandse ouders, de volgende dag alweer naar huis. Of zit het niet zo eenvoudig in elkaar? Heeft het niet te maken met zijn achtergrond dat ze hem gehouden hebben?

Ik kijk weer naar de foto van mij en Jim. Hij lacht lief. Kan ik echt niets anders voor hem doen dan lijdzaam afwachten? Ik zie hem weer voor me zoals hij daar in het damestoilet van het museum stond. Als een klein, verdwaald jongetje. De deurkruk nog in zijn handen.
Door mij zit hij nu in de cel. Als ik niet op het laatste moment naar het toilet was gegaan... Als de deur niet had geklemd... Als ik hem niet had gevraagd met mij mee te gaan naar de toiletten en op me te wachten... Als ik niet tegen hem had gezegd dat hij zich horkerig gedroeg tegenover die islamitische mannen bij de bushalte... Als, als, als...
Zouden zijn ouders erg boos zijn? Verdrietig of wanhopig? Weten ze eigenlijk wel wat er precies is gebeurd? Zijn ze kwaad op mij omdat ik zo overduidelijk een rol heb gespeeld? Omdat ik na nog niet eens anderhalve dag alweer aan het handje van mijn moeder het politiebureau mocht verlaten?

Misschien moet ik naar hen toe gaan om alles te vertellen. Om te verklaren waarom hij daar zit.
Alsof ik dat zelf weet.
Maar iets doen is beter dan niets. Beter dan je gaan liggen opvreten over waarom ik wel en hij niet.

Ik slinger mijn benen over de bedrand en dwing mezelf de paar stappen naar de douche af te leggen. Pas als het lauwwarme water over mijn rug stroomt voel ik me iets minder ellendig. Ik ga het doen, naar de ouders van Jim. Vertellen wat ze willen horen. Vragen of ik iets kan doen.

Alleen niet vergeten hem daar bij zijn echte naam te noemen. Jamal. Jamal Moqliya. Op de een of andere manier past Jim beter bij hem.

Hoe langer ik erover nadenk, hoe beter ik mijn plan vind om naar Jims ouders te gaan. Ik heb geen flauw idee wat school heeft gedaan om hen bij te staan, maar *ik* ben de vriendin van hun zoon. Ik was er praktisch bij toen hij werd opgepakt in Londen, heb hem zelfs min of meer die cel in geholpen. Ik hoor daar!

Net als ik de buitendeur uitloop, zie ik iemand ons erf op komen. Vincent.

'Hé, stuk,' groet hij. 'Ik was benieuwd hoe het met je ging. Alles oké?' Hij staat een beetje onhandig te wriemelen met zijn handen.

'Perfect,' antwoord ik spottend. 'Hoe kan het ook anders?'

'Ach,' mompelt hij. 'Met jou weet je het niet. Ik heb altijd het idee dat jij alles kunt hebben.'

'Ik heb vannacht anders bijna niet geslapen, moest heel de tijd aan Jim denken. Hij bivakkeert al vier nachten in een cel.'

'Heb je al iets gehoord?' vraagt hij. 'Van de politie of zo?'

Ik wil juist antwoord geven als ik me bedenk dat het een wat vreemde situatie is, zo samen voor de deur van ons huis. 'Ik stond juist op het punt weg te gaan maar dat kan wel even wachten. Wil je een kop thee of koffie?'

'Nou…' Er verschijnt een brede grijns op zijn gezicht. 'Ik heb net wel dat hele klere-eind gefietst. Het is berekoud!' Zo ken ik hem weer. Ik hou de deur voor hem open.

Als hij de woonkamer inloopt kijkt hij zijn ogen uit. 'Allemachtig, wat een ruimte!'

'Ja,' zeg ik. Van mij had de kamer best wat kleiner gemogen, een kleine kamer lijkt me een stuk makkelijker gezellig te maken. Het enige positieve aan de zitkamer is dat er een mooie akoestiek hangt voor mijn viool- en pianospel.

Ik zet twee koppen cappuccino op tafel en kijk of er iets lekkers in de voorraadkast te vinden is. Verder dan speculaas met amandeltjes kom ik niet.

'Nee,' roep ik ondertussen naar binnen. 'Sinds de persconferentie heb ik weinig gehoord. Achter de schermen is men hard bezig. Zegt men.' Ik kan er niets aan doen dat ik wat sarcastisch klink. Waarom duurt het zo lang? Waarom doet niet gewoon iemand de deur van die cel open en laat Jim gaan? 'Ik was nu net van plan naar de ouders van Jim te gaan,' zeg ik als ik tegenover Vincent sta. 'Kijken of ik daar iets kan doen.'

Hij vertrekt zijn mond in een rare grimas. 'Wat zou je daar kunnen doen? Z'n moeder vasthouden? Z'n broertjes troosten?'

'Geen idee, maar hier weet ik ook niets.' Ik omklem mijn kop met twee handen. 'Ik kan toch niet blijven stilzitten?'

Hij kijkt me vanonder zijn wenkbrauwen aan. 'Ik wil anders wel met je mee als je dat wilt?'

'Als *ik* al niet weet wat ik daar ga doen, wat zou *jij* dan in vredesnaam moeten uitvoeren?'

'Jou ondersteunen.'

Er ligt een vreemde klank in zijn stem. 'Maak je je bezorgd om mij?' vraag ik verbaasd.

Hij tilt zijn kopje van de tafel en lijkt zijn gezicht erachter te verbergen. 'Nou ja,' zegt hij onhandig. 'Het is niet niks wat je hebt meegemaakt. Mijn moeder dacht dat je wel een aardige schok moest hebben gehad.'

'Het waren niet de geweldigste dagen uit mijn leven,' geef ik toe. 'Maar dat is nog niets vergeleken met wat mijn vriendje doormaakt.' Ik gebruik met opzet de woorden *mijn vriendje*. Laat hem alsjeblieft wel duidelijk zijn dat de afstand tussen mij en Jim niet betekent dat ik hem vergeten ben.

'Nee... ja...' schuttert hij. 'Dat weet ik natuurlijk ook wel. Ik bedoel... ik zou niet graag met hem willen ruilen. Maar toch, misschien kan ik ook wat voor hem doen. En jou tegelijk wat steunen.'

Hij ziet er grappig onhandig uit zoals hij daar zit te draaien op onze witleren bank. Ik moet een glimlach onderdrukken. Is hij nou degene die in de klas altijd zo'n grote mond opzet?

'Goed dan,' zeg ik. 'Ga maar mee. We zien wel.'

Even later zitten we op de fiets.

'Ben je wel eens eerder bij Jim thuis geweest?' vraagt Vincent.

'Nee.'

'Hij wel bij jou?'

'Ja, maar dat was geloof ik makkelijker. Jim heeft wel eens verteld dat zijn ouders nogal streng zijn. Mijn moeder is er bijna nooit.'

'Wat ga je tegen z'n ouders zeggen?'

Ik haal mijn schouders op. 'Weet ik veel. Ik stel me gewoon voor en vraag of ik wat kan doen.'

'En dan zullen ze blij zijn met je...' Zijn stem klinkt enigszins kritisch.

'Waarom niet? Ik ben de vriendin van hun zoon.'

'Ja...' zegt hij. 'Dat is waar.'

Pas als de eerste huizen van de wijk waar Jim woont zichtbaar worden, zeg ik weer iets.

'We moeten de Vaillantlaan hebben. Ken jij die?'

Hij schudt zijn hoofd. 'Ik ben hier niet zo bekend. We zullen het moeten vragen.'

Ik stop bij een donker voetballertje en vraag hem de weg. Zonder aarzelen wijst hij direct in de richting die we al uit fietsten. 'Moet je bij de familie Moqliya wezen?' vraagt hij brutaal.

Ik kijk verbaasd. 'Wonen er geen andere mensen op de Vaillantlaan?'

'Jawel,' zegt het joch. 'Een heleboel. Maar er hebben gisteren en vandaag al meer mensen zoals jullie naar hun adres gevraagd.'

'Mensen zoals wij?'

'Je weet wel.' Hij tikt op zijn wang. 'Wit. Geen moslim.'
Even kijk ik hem verbluft aan. 'Wit? Geen moslim?' mompel ik.
'Kom mee,' zegt Vincent. 'We vallen op. Hoe zou dat toch komen?'
'Hier wonen toch niet alleen buitenlanders?'
'Vooral Marokkanen, Turken, Antillianen, Surinamers. Wist je dat
niet?'
'Nooit bij stilgestaan,' mompel ik. 'Maar dat we zo opvallen…' Ik
kan er nog steeds niet over uit.
'Misschien hangen er eh… een soort ramptoeristen rond. Van die
mafkezen die op komen draven wanneer er iets bijzonders te zien
valt. Familieleden van een gevangen terrorismeverdachte of zoiets.'
Ik grinnik. 'Stom genoeg denk ik dat Jim ontzettend zal lachen als
hij hoort dat vreemde mensen zijn thuis opzoeken. Alsof hij een
serieuze misdadiger is. Met drie miljoen in zijn achterzak.'
'Of hij maakt zich er kwaad om. Ik heb altijd de indruk dat iedereen van zijn familie moet afblijven. Zou dat niet de reden zijn dat
wij allebei nog nooit bij hem thuis zijn geweest?'
'Geen idee,' zeg ik luchtig. 'En dat hoef ik niet te weten ook. Ik ben
blij met Jim zoals-ie is.'
We staan voor de deur van Vaillantlaan nummer 149 1-hoog. Ik
bel aan. Het irriterende geluid van de schelle bel galmt door de
matglazen deur naar buiten. Een klein jongetje doet open.
'Dag,' zegt hij.
'Hoi. Ben jij soms kleine Mo?'
'Ja.' Hij staart me met grote ogen aan.
'Is je moeder thuis? Of je vader?'
Hij antwoordt mij niet maar draait zich om en roept iets naar bin-
nen. Ik hoor een schelle vrouwenstem antwoorden. Een vrouw
komt de hal in. 'Ja?'
'Ik ben Sanne,' zeg ik. 'De vriendin van Jamal.' Ik bedenk net op
tijd dat ik zijn echte naam moet gebruiken. Ik wijs opzij. 'En dit is

Vincent, uit onze klas. Wij komen vragen of we iets voor u kunnen doen.'

De vrouw van wie ik aanneem dat het de moeder van Jim is schudt haar hoofd. 'Nee, dank je,' zegt ze binnensmonds. 'Niet nodig.'

'Ik wil graag iets doen,' dring ik aan. 'Ik was bij Jamal toen…' Ik aarzel even. 'In Londen.'

Het is alsof ik verboden woorden gebruik. Onmiddellijk wordt de deur tot op een kier geduwd.

'Nee, dank je,' herhaalt de vrouw. 'Nu niet, misschien later.'

Voor ik nog iets kan zeggen, klapt de deur in mijn gezicht dicht.

Verbijsterd kijk ik Vincent aan. 'Dit snap ik niet,' zeg ik.

'Ze begrijpt je niet goed,' zegt Vincent. 'Of ze begrijpt je wel maar wil niets met je te maken hebben. Dat kan ook.'

Ik loop naar beneden en voel ineens dat ik het koud heb. Misschien van de zenuwen. Was ik zo gespannen voor mijn bezoek aan Jims huis? Niet bewust in elk geval.

Bij onze fietsen blijf ik staan. Ik kijk om me heen. Dus hier brengt Jim een groot deel van zijn leven door. Het is een vrij smalle straat met aan weerszijden portiekwoningen van drie verdiepingen. Smerige prullenbakken langs de kant van de weg. Op de stoep spelen wat kinderen die ons bijna allemaal negeren; een enkeling kijkt ons aan met onverholen nieuwsgierigheid. Een bal rolt in mijn richting. Ik pak hem op en leg mijn armen eromheen.

'Is dit jouw bal?' vraag ik aan een jongen van een jaar of acht die mijn kant op komt rennen.

'Ja, paas hem effe terug!'

'Ik wil je eerst wat vragen. Kom 'ns dichterbij?'

'Wat doe je?' vraagt Vincent. Hij komt naast me staan.

'Wacht even,' fluister ik.

'Wat moet je van me?' vraagt de jongen. De donkere krullen vallen bijna in zijn ogen. Ik vind hem mooi. Hij lijkt op Mimoun Oaïssa van Het Schnitzelparadijs.

'Waarom zou ik antwoord geven?' vraagt hij.

'Ken jij Jamal Moqliya?' Ik geef met mijn hand zijn lengte aan. 'Zo lang is hij ongeveer. Hij heeft net zulk haar als jij en rijdt op een groene fiets. Hij woont daar.' Ik wijs achter me.

'Nee,' zegt hij en wil de bal grijpen.

'Wacht even.' Ik trek hem snel terug. 'Ik ben nog niet klaar.'

Vincent schiet me te hulp. 'Als je hem niet kent, ken je zijn broertjes misschien. Hij heeft er drie – allemaal jonger. Speel je met ze?'

De jongen reageert nog altijd afwijzend. 'Ik ken niemand.' Hij valt uit en wil opnieuw de bal uit mijn handen grissen.

Ineens kom ik op een idee. 'Ben jij soms Tarek?' vraag ik. 'Je lijkt op Jamal. Net zo mooi en ik zag dat je ook net zo'n goeie voetballer bent.'

Er verandert iets in de ogen van de jongen. 'En als ik dat ben?' vraagt hij uitdagend. 'Wat dan nog?'

'Nou niets,' zeg ik maar hou de bal nog altijd stevig beet. 'Ik ben de vriendin van Jamal.'

'Zij zoenen met elkaar,' zegt Vincent grijnzend.

'Zoenen?' herhaalt de jongen van wie ik nu aanneem dat hij Tarek in eigen persoon is. Hij begint te giechelen en roept iets in een taal die ik niet versta naar zijn vrienden die ongeduldig staan te wachten.

'Ja,' zeg ik flinker dan ik me voel. 'Jamal en ik zoenen. Wij zijn verliefd.'

'Jamal zit in de gevangenis,' zegt het joch met enige trots in zijn stem. 'Hij wilde een bus opblazen.'

'Nee, dat wilde hij niet,' zeg ik. 'Jamal zou zoiets nooit doen. Hij wil vrienden zijn met iedereen, niet mensen pijn doen.'

'Waarom denk je dat hij die bus wilde opblazen?' komt Vincent tussenbeide.

'Dat staat in de krant,' zegt Tarek. 'Daarom komen al die mensen hier in de straat.'

Vincent en ik kijken elkaar aan. Alweer die sensatiezoekers.

'Wij zijn geen pottenkijkers,' zegt Vincent. 'Wij willen Jamal helpen. Zij is Jamals liefje.'

Het is alsof mijn bestaan nu pas echt goed tot hem doordringt. Hij bestudeert me van top tot teen. 'Jij kunt zijn liefje niet zijn,' zegt hij. 'Want hij heeft al een liefje in Marokko, met haar gaat hij trouwen.'

'Wat?' Een ijskoude rilling kruipt over mijn nek. 'Trouwen? Wat trouwen?'

'Hij is met Nassira verloofd. Als Jamal klaar is met school komt zij naar Nederland en dan gaan ze trouwen.'

Ik weet niet waar ik moet kijken.

'Kinderlulkoek,' fluistert Vincent in mijn oor. 'Niet naar luisteren.' Hij draait zich naar Tarek toe. 'Maar dan moet hij toch eerst uit de bajes komen, neem ik aan?'

'Mijn vader gaat maandag naar Engeland. Misschien neemt hij hem mee terug.'

'Wat?' Weer iets wat ik niet wist.

Tarek haalt zijn schouders op. 'Het is nog niet zeker dat hij thuiskomt,' zegt hij. 'De Engelse politie is nogal streng, geloof ik. Eerst moet iemand hun zeggen dat Jamal geen boef is.'

'Maar je vader gaat wel naar Engeland,' vraag ik voor de zekerheid.

'Ik heb gevraagd of ik mee mocht, maar dat mag niet. Ik moet gewoon naar die stomme rotschool.'

Mijn aandacht zal even verslapt zijn, want ineens ligt de bal in de handen van Tarek.

'Nu opdonderen,' zegt hij met een taal die niet bij zijn leeftijd past.

Ik ben zo verbluft door alles dat ik zonder protesteren naar mijn fiets loop en hem van het slot haal.

Vincent volgt me. 'Pittig broertje, vind je niet?'

'Nogal,' mompel ik. De rest van de terugreis ben ik in mijn eigen gedachten verzonken. Ik weet niet wat ik moet denken. Ik ging naar het huis van Jim om mijn hulp aan te bieden en kom terug met het bericht dat mijn liefje verloofd is met een meisje uit Marokko. Ik ben me amper bewust van het feit dat Vincent naast me fietst. Hij probeert me ook niet af te leiden maar volgt me gewoon.

Als we bij mijn huis aankomen verwacht ik dat hij zijn fiets keert en teruggaat naar de stad. Maar dat doet hij niet. Als een trouwe hond blijft hij staan wachten tot ik iets tegen hem zeg.

'Bedankt voor het meefietsen,' zeg ik dus maar.

'Het is dat het zulk heerlijk fietsweer is,' doet hij zijn best zich een houding te geven.

'Maar nu moet je dat hele eind nog terug.'

Hij haalt zijn schouders op. 'Trek je niet te veel aan van wat dat broertje net zei,' zegt hij. 'Ik geloof nooit dat Jim met jou zou spelen.'

Dat vind ik wel heel lief van hem.

Hij speelt wat met zijn fietsbel. Het ding maakte een schel lawaai. 'Maar...' zegt hij ineens stotterend. Zo onzeker ken ik hem helemaal niet. 'Als... als... je toch genoeg van hem hebt of niet meer tegen die verrotte onzekerheid kunt... wel... nou... dan ben ik hier.'

Ondanks de omstandigheden moet ik opnieuw moeite doen om niet in lachen uit te barsten. Aan de ene kant voel ik me ellendig. Alsof ik nog niet genoeg aan mijn kop heb, een vriend in de Engelse gevangenis die ook nog verloofd blijkt te zijn en een jongen die aan mijn voeten ligt voor wie ik niets voel. Aan de andere kant verschijnt ineens het beeld voor mijn ogen van een smachtende Vincent met een roos tussen zijn tanden en een gitaar in zijn handen bedelend om mijn aandacht en liefde. Het beeld werkt op mijn lachspieren. En ik kan me niet beheersen, ik schiet in een lachstuip.

'Wat...?' zegt Vincent bijna verontwaardigd. 'Lach je me uit?'

'Nee... nee.' Ik doe krampachtige pogingen mezelf te beheersen.

'Het is zo'n rare situatie. Er is zoveel gebeurd deze week. En nu laat jij… jij… me ook nog merken dat je verliefd bent. Ik vind het fijn dat je dat zegt. Echt!' Ik moet even stoppen om de tranen van mijn wangen te vegen. 'Ik vind jou op Jim na de leukste jongen uit de klas… Maar… Jim is het allerleukst. Nog steeds. Ondanks zijn ver…' weer schater ik het uit '… zijn verloving…'

'Ik begrijp het,' zegt hij met een stalen gezicht. Ik kan er niet op aflezen of hij zich beledigd voelt door mijn gelach of dat hij verdrietig is.

'Kom,' zeg ik. 'Ik zal een tosti voor je maken voordat je dat hele "klere-eind" weer terug moet.'

SANNE

De eerste tonen van 'Alle menschen werden Brüder' klinken en ik
graai naar mijn mobiel op het tafeltje naast mijn bed. Een onbe-
kend nummer in het schermpje.

'Sanne Nichols…' Het valt me mee dat mijn stem nog enigszins
verstaanbaar klinkt.

'Met Vincent. Hoe is het ermee?'

'Vincent?' herhaal ik verbaasd. 'Hoe laat is het in godsnaam?'

'Halfnegen, bel ik je wakker?'

Ik schuif moeizaam met een hand omhoog langs mijn hoofdeinde. 'Allemachtig. Waarom ben je in vredesnaam zo vroeg? Is er
nieuws?'

'Nee… Dat niet… Ik dacht…' Een diepe zucht. 'Ik wilde gewoon
weten of het goed met je ging. Zo'n rare week, en gisteren… Wat
dat broertje zei…'

'Dacht je dat ik me dat aantrok?' Ik doe mijn best een beetje over-
tuigend te lachen maar dat valt niet mee als je twee minuten geleden nog droomde dat je in een concertzaal tegenover een enorm
publiek staat. 'Ik heb wel eens iets gehoord over broertjes. Ze schijnen je op de meest onmogelijke momenten voor schut te kunnen
zetten.'

'Ja, nou…' schuttert hij. 'En toch…'

'Luister Vincent,' zeg ik kordaat. 'Ik red me wel. Je hoeft je geen
zorgen over mij te maken. Met jou alles goed?'

'Zal ik langskomen?'

'Wil je weer dat "klere-eind" fietsen?' Ik begin me te ergeren aan zijn opdringerige gedrag.

'Voor jou doe ik alles,' zegt hij. 'Misschien kunnen we samen huiswerk maken of iets anders doen.'

'Nee, dank je, Vincent,' zeg ik. 'Vandaag ga ik alleen maar uitrusten, wat boekjes lezen, muziek luisteren. Dat kan ik prima alleen.'

'Zeker weten?'

'Ja. Ik zie je morgen op school, goed?'

'Oké,' mompelt hij bijna onhoorbaar.

'Hoi.' Ik druk snel de uitknop in voordat hij nog iets anders probeert. Nog een reden waarom ik blij zal zijn als Jim weer in het land is.

JAMAL

'En?' vraag ik de zevende dag aan het begin van het verhoor. Het is allemaal al aardig gewoon geworden. Ik kom binnen, ga zitten en wacht af wie er nu weer komt opdagen. Ferguson liet zich na de derde dag niet meer zien. Waiter was er de vijfde dag niet maar de zesde weer wel. Gisteren niet. Ik hoop dat dat tekenen zijn dat ze hun interesse in mij aan het verliezen zijn en dat dat weer betekent dat ik snel op vrije voeten zal staan. Hoop heb ik nog steeds, maar elke dag een klein beetje minder. Misschien komt dat ook omdat ik me bijna de hele dag te pletter verveel in mijn eentje in de cel en me desondanks als een dweil voel.

'Hoe loopt dat onderzoek van jullie?' vraag ik.

'Het loopt,' zegt Kuiper. 'We zullen nu snel weten wat we met jou moeten aanvangen.'

'Zo snel mogelijk vrijlaten,' doe ik een suggestie.

'We zullen zien.'

De rest van het verhoor gaat zoals altijd. Vragen over mijn vroegste herinnering, wanneer ik zindelijk ben geworden – ben ik nog altijd niet, moet ik ze teleurstellen, hoe het was als Marokkaans jongetje op een Nederlandse school – niet veel anders dan voor een Nederlands jongetje op een Nederlandse school, kan ik uit eigen ervaring zeggen.

We zijn duidelijk een beetje uitgekletst tegen elkaar.

Maar als de cassetterecorder al is uitgezet, buigt Kuiper zich naar voren.

'Ik heb een verrassing voor je.'

'O ja?' vraag ik. 'Mag ik een halfuur lucht happen in plaats van een kwartier?'

'Je vader is hier.'

Even ben ik echt van mijn stuk gebracht. Ik voel hoe mijn mond openzakt en heb moeite hem weer te sluiten. 'Wat?'

'Je vader is er,' herhaalt hij.

'Waarom?'

'Je bent zijn zoon.'

Dat weet ik beter dan hij. 'Oké,' zeg ik maar. 'Wanneer kan ik hem zien?'

'*Wij* gaan nu eerst even met hem praten. Zodra we klaar zijn word jij gehaald. Je blijft dus nog even in dit gebouw.'

Ik heb tijden lang geen tranen in mijn ogen gevoeld, maar nu kruipen ze toch weer ellendig omhoog. 'Mijn vader heeft niets te maken met wat er is gebeurd,' zeg ik. 'Waarom moeten jullie hem met alle geweld spreken?'

'Met jou komen we niet verder,' zegt Kuiper. 'We moeten iets.'

'Niet mijn vader,' sis ik. 'Die man weet nergens van.' Ik heb sterk het gevoel dat de uitgeleende Nederlandse rechercheur plezier beleeft aan mijn uitbarsting. Dat windt me nog meer op. Door mijn hele lijf stroomt gloeiende, kolkende lava. Steeds meer. Steeds sneller. Ik nader de ultieme ontlading.

Ik moet me beheersen. Ik moet. Ik moet. Ik knijp in mijn handen, bijt op mijn onderlip tot de pijn door mijn kaken schiet, probeer in stilte tot een miljoen te tellen...

'Dat zullen we dan ervaren.' Kuiper houdt zijn hoofd scheef. 'Of wil jij nu nog iets vertellen?' Zijn hand kruipt al naar de cassetterecorder.

'Wat zou ik, verdomme, moeten zeggen?!'

'Tsja, wat zou je.' Hij staat op en gebaart naar het spiegelraam. 'Ik laat je nu in elk geval naar een cel brengen. Misschien wil je je vader brieven meegeven naar huis. Die kun je nu schrijven. Heb je papier?' Hij schuift een stapeltje sneeuwwitte vellen naar voren. 'Hier.'

'Dank je hartelijk. Ik ga niets schrijven dat jullie dan vervolgens door een psycholoog kunnen laten analyseren om te kijken of er onderdrukte fundamentalistische gevoelens in verborgen zitten.'

Hij haalt zijn schouders op. 'Dat is jouw beslissing.'

De deur gaat open en een vrouwelijke bewaker wacht in de deuropening tot ik bij haar ben. Zonder om te kijken naar de etterbak die me waarschijnlijk met een zelfvoldane blik volgt, loop ik langs haar heen.

De 'leencel' in het verhoorgebouw voelt killer en leger aan dan mijn eigen cel. Ik zit achtereenvolgens met mijn handen in mijn hoofd op de harde rand van het bed, in dezelfde houding op het plastic stoeltje bij de tafel en met mijn rug tegen de koude muur onder het raampje.

Nu is mijn vader aan de beurt. Die stille onschuldige man die niets anders van het leven wil dan dat zijn zonen het beter krijgen dan hij. Mijn vader die de onschuld, de goedheid en de vredelievendheid zelve is.

Ik sta er nauwelijks bij stil dat ik straks tegenover hem zal staan. Voor mijn gevoel zit er nog een oceaan van tijd tussen nu en die ontmoeting en in die oceaan van tijd gaan Waiter en Kuiper hem uitpersen als een overrijpe sinaasappel.

Het lijkt vele uren later als ik word opgehaald voor het bezoek. Ik heb snel wat water door mijn haar geveegd om het verzorgd te laten zitten. Ook heb ik bij gebrek aan deo mijn oksels met water en handzeep gewassen. Mijn hele lijf kriebelt alsof ik plotseling ten prooi val aan een allergische reactie. Ik ben me bewust van elke stap die ik in de saaie, steriele gangen zet. De tl-verlichting aan het plafond brandt op me in alsof die mij in de spotlights wil zetten terwijl ik alleen maar verlang naar duisternis.

Ik word naar hetzelfde kamertje geleid waarin ik meestal word verhoord. Mijn vader zit er al.

Vanuit de deuropening blijf ik naar hem staan kijken.

Hij kijkt naar mij.

Ik probeer zijn houding ten opzichte van mij in te schatten. Hij lijkt ouder geworden, maar misschien is het al een tijd geleden dat ik hem voor het laatst goed bekeek. Thuis leven we zo'n beetje lta – living together apart. Nooit eerder heb ik gezien dat de rimpels naast zijn ogen zo diep zijn geworden, dat zijn wangen een beetje lubberen en dat er zoveel grijs zit tussen het dikke zwarte haar. Ik heb me ook al een tijd niet meer gerealiseerd hoe zacht en onderzoekend zijn ogen kunnen staan. Ietsje samengeknepen. Turend. Alsof hij elke centimeter van mij in zich op wil nemen. Alsof hij nagaat wat er van hem is overgegaan in mij, zijn oudste zoon.

Daar kan ik hem geen antwoord op geven. Wat ik wel weet, is wat er van mij is geworden: een mislukte zogenaamde fundamentalistische terrorist. Zelfs zonder dat ik dat van mezelf wist, nog voor ik ook maar iets heb gedaan behalve wat stomme platte grappen uithalen en een meisje zoenen, is de rest van mijn leven al getekend.

'Zoon,' hoor ik een zachte stem. 'Zoon.'

Er komt een waas voor mijn ogen. 'Bebe…' Ik ren naar hem toe en val bij hem neer met mijn hoofd in zijn schoot. Zijn armen sluiten zich om mij heen. Een gegroefde hand streelt mijn haar.

'Wat heb je toch gedaan, walad?'

'Niets, Bebe. Niets. Geloof me.'

'Als je niets had gedaan, had je dan hier gezeten?'

Ik hef mijn hoofd en zie de vragende blik in zijn ogen. 'Gelooft u ze?' vraag ik ongelovig.

Op de een of andere manier rijt het mes dat nu door mijn binnenste glijdt, meer open dan wat ook tevoren. Ik krijg het koud. Zo koud dat ik begin te rillen.

'U gelooft ze?' herhaal ik harder.

'Je bent geen terrorist,' sust mijn vader. 'Dat weet ik. Maar zou je het kunnen worden? Ze hebben me het profiel van die anderen geschetst. Je past erin.'

'Bebe…!' Ik open mijn mond maar er komt niets uit. 'Bebe…' Ik zit nog altijd op mijn knieën maar mijn spieren begeven het en mijn kont zakt langzaam naar mijn hielen.

'Achmed Karaoui is gezien in het huis van een terrorist.'

'Ik zie hem niet meer, Bebe!'

'Hij kwam laatst aan de deur om jou te halen. Je was er niet.'

'Ik wist het niet! Ik heb hem lang niet meer gezien. Misschien wilde hij voetballen.'

'Hij droeg een djellaba en wilde met je praten.'

'Vader, zelfs als ik thuis was geweest, was ik niet met hem meegegaan. Het enige dat we nog delen is de liefde voor voetbal.'

'En het geloof in Allah.'

Ik zie de smekende blik in zijn ogen als hij me aankijkt. Het is meer een vraag dan een vaststelling. Ik kan het hem niet aandoen te zeggen dat zijn geloof net zoveel betekenis voor me heeft als het geloof van christenen, dat van hindoes of dat van boeddhisten. 'En mijn geloof,' mompel ik verstikt.

Ineens wil ik dat hij gaat. Mijn vader, wat doet hij hier? Welke rol speelt hij? Hij brengt me nog meer in verwarring in plaats van dat hij me rust geeft. Ik wil hem niet. Niet hier.

'Ik weet niet goed meer wie je bent, Jamal,' zegt hij zacht. 'Je leeft een leven dat ver van me af staat, bent niet vaak meer thuis. Soms denk ik dat ik je aan het verliezen ben. Maar waaraan?'

'Ik ben uw zoon, Bebe. Ik doe geen dingen waarvoor u zich moet schamen.'

'Dat is goed, jongen. Dat is goed.'

Het is even stil. We weten geen van beiden goed wat te zeggen.

'Hebben ze het u zwaar gemaakt?' vraag ik na een tijdje om het gesprek een veiligere kant op te leiden.

'Die rechercheurs?' Hij schudt zijn hoofd. 'Ze hebben me een paar vragen gesteld over onze moskee, over jou en de imam. Ik was erop voorbereid. De dame van de ambassade had mij verteld wat me te wachten stond.' Hij glimlacht even. 'Ik ben niet bang om hen te vertellen wat ze willen weten. Wij doen niets verkeerd.'

Ik ook niet, maar ik weet niet meer zeker of ik bij het 'wij' van mijn vader hoor. Ik zeg er niets over.

'Hoe bent u hier gekomen?'

'De ambassade heeft een ticket voor me betaald. Ik heb gevlogen, voor het eerst van mijn leven. Oom Fouad is meegereisd.'

'Is oom Fouad hier ook? Is hij hier in het gebouw? Kan ik hem straks ook spreken?' Oom Fouad is mijn jongste oom. Hij kan overal over meepraten. Als taxichauffeur weet hij alles van de wereld. Hij zal me begrijpen.

'Er mocht maar één persoon naar binnen,' zegt mijn vader. 'Hij wacht beneden in een hal. Ik moest je zijn groeten doen. Hij vroeg me je te zeggen dat de tijd alles zal verklaren.'

Wat moet ik daar nu weer mee? Een van oom Fouads onmogelijke wijsheden?

Ik sta op, doe een pas naar achteren. Neem afstand van mijn vader.

'Bebe,' probeer ik nog eens. 'Geloof me, ik kon er niets aan doen, daar in die bus. Ik wilde het pakje niet aannemen. Ik wil mezelf niet opblazen. Ik wil leven, hier weg.' Er klimt een kikker in mijn keel. 'Ik verlang zelfs naar school,' komt er schor uit.

'Luister, walad.' Hij houdt zijn hoofd scheef en kijkt me aan. Voor het eerst zie ik de bezorgdheid in zijn ogen schitteren. 'De rechercheurs zeggen dat het onderzoek nog een tijdje kan duren. Je moet je voorbereiden op nog enkele dagen of weken hier.' Hij zucht. 'Het was goed geweest als je meer had geluisterd naar de imam van onze moskee. Dan had je zijn zorg gehoord over wat er gaande is in de wereld. De waarschuwingen. Hij had je geleerd signalen te herkennen van hen die ons geloof misbruiken.'

'Maar het is toch te gek dat de daad van een stel idioten kan leiden tot dit hier,' zeg ik heftig.

'Er hadden doden kunnen vallen, mijn zoon.'

'Niet door mij,' hou ik halsstarrig vol. 'Ik wist van niets.'

Mijn vader haalt zijn schouders op. 'Misschien is dit Allahs weg – Allaahoe Akbar – om jou op zijn pad te krijgen.'

'Had hij geen makkelijkere weg kunnen uitzoeken?'

'De weg is zo moeilijk als je aankunt.' Hij zucht. 'Ga zitten, jongen, en luister. Ik zal je het verhaal vertellen van mijn leven.'

De enige andere stoel in de kamer staat aan de overzijde van de tafel. Ik zet hem zo dicht bij mijn vader dat ik de zwarte stip kan onderscheiden in zijn bruine pupil. Ik weet niet wat ik wil: op zijn schoot kruipen zoals ik en mijn broertjes mochten toen we kleine hummels waren, óf weglopen – me terug laten brengen naar mijn cel en wensen dat dit gesprek nooit heeft plaatsgevonden.

'Ik was nog maar iets ouder dan jij,' begint mijn vader. 'Achttien, negentien – niemand weet het meer precies, geboortedata werden in mijn geboortedorp niet opgetekend. In het gebied waar wij woonden was nauwelijks werk. Ik wilde leren maar het kon niet. Er was geen middelbare school op loopafstand. En in de stad zou ik in een internaat moeten of bij iemand in huis. Dat was te duur, mijn vader was een eenvoudige boer met wat geiten en schapen. Hij kon me trouwens ook niet missen. Als oudste moest ik de geiten van de hele familie hoeden en water halen bij de put. Er was voor mij geen andere toekomst weggelegd dan werken op het land, net als mijn vader deed en mijn grootvader ooit ook had gedaan. Een zwaar leven met weinig perspectief. Zeker in tijden van schaarste zoals de jaren waarin ik opgroeide.'

Ik ken het verhaal van mijn vaders komst naar Nederland. Hij heeft het me vaak genoeg proberen te vertellen. Het kwam altijd op mij over als een verhaal uit de prehistorie. De tijd die hij beschreef bestond in mijn verbeelding uit zwartwit tinten zoals de beelden die onze geschiedenisleraar gebruikt om er het verleden mee tot leven te brengen. De Marokkaanse omgeving was het leefgebied van een volk dat me niets zei. Ik had nooit blijdschap gevoeld om die stap van hem die mij hier had gebracht, in Nederland. Niet omdat ik niet blij was om in Nederland te zijn, maar gewoon omdat dat niet iets was wat mijn gedachten bezighield.

Tot nu. Ineens realiseer ik me dat niet alleen mijn vader niet meer weet wie ik ben. *Ben* ik, ondanks mijn grote bek bij de verhoren, wel Nederlander?

Is iemand die door de maatschappij in de eerste plaats gezien wordt als Marokkaan, niet in de eerste plaats *Marokkaan*?

Wie ben ik?
Wat ben ik?

'Toen ik achttien was of negentien…' gaat mijn vader door.

Ik probeer mijn levensvragen van me af te zetten en concentreer me op de ietwat hese stem. Ondanks alles voel ik me rustiger worden, mijn lichaam ontspant zich.

'… kwam er een man in ons dorp met een bleek gezicht en blond haar. Hij sprak een taal die wij niet kenden maar een Marokkaan uit de stad vertaalde voor hem.

Ik hoorde vertellen over een andere wereld, een land waarvan ik het bestaan niet wist. Daar was werk in overvloed. Iedereen die wilde zou de volgende dag getest kunnen worden door de vreemde man en als alles goed was naar dat vreemde land kunnen vertrekken om daar scheppen vol geld te verdienen.

Ik was jong, oom Fouad nog jonger. De uitdaging lokte.

Nog diezelfde dag hebben we er met je grootvader over gesproken. Hij was woedend dat we zelfs maar over vertrekken durfden te spreken. Hij trok zijn haren in plukken uit zijn schedel en onze moeder huilde bij voorbaat dikke tranen. Toch zijn oom Fouad en ik de volgende dag naar het rekruteringsbureau gegaan.

Grootvader verzekerde ons dat we met hangende pootjes terug zouden komen als we echt naar het buitenland gingen. En als we terugkwamen zou hij lachen tot de tranen over zijn wangen liepen.

We lieten ons niet door zijn woorden weerhouden en werden beiden aangenomen. We zouden gaan werken in een stad die Deventer heette.'

Hij lachte. 'Voor ons had de stad kunnen liggen in om het even welk land. We konden op de wereldkaart niet eens aanwijzen waar het ongeveer moest liggen. We konden de naam niet uitspreken. Maar dat maakte allemaal niet uit, mijn broer en ik werden allebei machinebankwerker in een fabriek.

Het was niet fijn, die eerste jaren, we hadden het vaak genoeg ellendig. We werden bedrogen en bestolen, gediscrimineerd en uitgescholden, maar we hebben ons nooit laten kennen. We hielden ons stil en bleven werken en sparen. Toen ik me een huurhuis kon veroorloven, heb ik je moeder laten overkomen.'

Hij kijkt me ernstig aan. 'Zoon, misschien ben jij zoals je oom en ik waren. En ben ik als mijn vader. Die begreep mij niet toen ik ervoor koos mijn geboortegrond te verlaten. Ik begrijp jou niet in het leven dat jij leidt en de dingen die jij doet. Maar ik moet vertrouwen. Jou je eigen weg laten gaan. Misschien leidt deze moeilijke periode jou ook naar een betere toekomst. Doorsta hem met opgeheven hoofd.' In zijn ogen verandert iets. Ik zie berusting. Of misschien is het meer nog. Rust. Vertrouwen.

In mij? Laat het in mij zijn. Alsjeblieft!

'Je bent een goede jongen, Jamal.' Hij klopt me onhandig op mijn schouder. 'Net vroeg je me je te geloven. Dat doe ik. Twijfel daar

155

niet aan. Maar meer nog geloof ik in Allah – Zijn naam is groot. Hij zal alles goed maken. Vertrouw ook op Hem. Hier…' Hij grijpt in het stoffen tasje dat hij bij zich draagt. 'Voor ik hierheen kwam, ben ik bij de imam geweest. Hij heeft me dit voor je meegegeven.' Ik krijg een mooi bewerkte koran in mijn handen geduwd. Hij is verpakt in vloeipapier zodat ik hem niet met mijn ongewassen handen hoef aan te raken.

Ik kijk naar het heilige boek en weet niet wat ik ermee moet. Wil ik het wel lezen?

Ik wring een dankbare glimlach om mijn mond. 'Dank hem van mij.' In mijn geheugen zoek ik meteen naar een mogelijkheid om het boek ergens achter te laten wanneer ik straks naar mijn cel word teruggebracht. Ik wil weg. Vrij zijn. Uit Engeland verdwijnen. Niet mijn weinige actieve hersencellen bedwelmen met teksten die me nauwelijks iets zeggen.

'Lees hem!' dringt mijn vader aan. 'Beloof het me. Je zult er rust door vinden.'

Ik zucht en knik een beetje. 'Goed Bebe, best Bebe.'

Er wordt op de deur geklopt.

Mijn vader grijpt mijn handen en ik klem me aan hem vast. 'Zie ik u nog voordat u teruggaat naar Nederland?'

Hij schudt zijn hoofd. 'Je oom en ik vertrekken morgen weer. Ik zal vragen maar…' Er ligt een bittere blik in zijn ogen.

'Bebe…' zeg ik.

De deur gaat open.

'Hou je sterk, jongen.'

'Bebe…'

'Je wordt advocaat, walad. Leer.'

Ik wil hem niet loslaten, blijf hem vasthouden. Wil hem nooit meer loslaten. Hij hoort bij mij. Hij staat aan mijn kant, ook al zegt hij dingen die niet fijn klinken. Hij moet niet weggaan. Niet mij hier achterlaten…

'Son,' zegt de wacht.

'Ik moet gaan, Jamal,' fluistert mijn vader. Hij snuift.

'Vader…'

'Vertrouw op Hem, jongen. Lees en bid! Je hebt het mij beloofd.' Hij wijst naar het boek in mijn hand. De wacht duwt hem naar de deur en sluit die zodra mijn vader over de drempel is.

'Bebe…' roep ik door het luikje. 'Kus mama en de broertjes. Doe oom Fouad de groeten…'

'Dat doe ik,' zegt mijn vader.

Ik druk me tegen het kille, stalen oppervlak van de deur en blijf luisteren tot de sloffende stappen van mijn vader wegsterven in de steriele gang.

Die nacht gebruik ik om elk woord van mijn vader te herkauwen. Ik kan toch niet slapen. De briefjes van Sanne die onder mijn kussen lagen heb ik in veiligheid gebracht. Ze steken nu aan de achterkant van de koran in de kaft. En die ligt weer op mijn tafel. Ik kan het niet over mijn hart verkrijgen het heilige boek onder mijn kussen te leggen. Ook al interesseert de inhoud me matig, het voelt toch als heiligschennis, mijn vette kop erbovenop.

De woorden van mijn vader hebben me niet verder geholpen. Hoe blij ik ook ben dat ik eindelijk iemand heb gezien die geen vreemde voor me is, ik voel me nu nog meer alleen dan ik me voor mijn vaders bezoek voelde. Dat komt door wat hij zei. Zonder het nadrukkelijk te verwoorden gaf hij me het gevoel dat de situatie waarin ik verzeild was geraakt iets te maken had met mijn loslaten van het moslimgeloof. Omdat ik nauwelijks meer naar de moskee ging, ken ik de signalen niet van 'hen die het geloof misbruiken'.

Als ik iets niet wil geloven, is het dat Allah – als hij al bestaat – wraak zou willen nemen op zo'n swa als ik vanwege het eenvoudige gegeven dat ik me niet regelmatig genoeg tot hem richt, of

Zijn huis bezoek. Ik weet zeker dat mijn vader en moeder Hem vaak genoeg smeekgebedjes toeroepen die in mijn belang zijn. Mijn moeder doet dat volgens mij zelfs zo vaak dat ik het Hem ogenblikkelijk zou vergeven als hij mijn naam zelfs niet meer *wil* horen.

In elk geval raakt Hij hen net zo erg als mij door me hier te laten zitten. Waarom zou Hij hen straffen voor mijn gebrek aan belangstelling? Trouwens, als je de kranten en het nieuws op tv mag geloven zijn er heel veel dingen die Zijn aandacht meer op zouden moeten eisen dan mijn persoon.

Of niet?

Ben ik, zestienjarige snotneus, zo belangrijk in Zijn plan?

Ik draai me op mijn andere zij. Mijn voorhoofd raakt bijna de muur.

Ik geloof niet meer dat ik binnen de kortste keren op vrije voeten zal staan. Ik geloof niet meer dat in een of andere magistrale flits Waiter en Kuiper tot wijsheid zullen komen.

Misschien heeft Bebe gelijk en moet ik gewoon ophouden met tegenstribbelen. Zou dat de zaak versnellen? Zou ik dan eerder terug mogen naar Nederland?

Nog een paar keer draai ik van mijn rug naar mijn ene en mijn andere zij en dan doe ik iets wat mijn vader erg blij zou maken maar mezelf eerder verbaast: ik sta op, spoel mijn handen, pak de koran en loop naar het spleetje licht dat vanaf de gang door het luikje in de deur schijnt. Zo goed en zo kwaad als het gaat probeer ik Allahs woorden te lezen.

JAMAL

Zodra de deur opengaat en de cipier mijn ontbijt naar binnen draagt, spreek ik hem aan.

'Don't I get cake today?'

Hij knippert niet-begrijpend met zijn ogen. 'What…?'

'Cake, you know. When there is something to celebrate.'

Hij haalt zijn schouders op. 'Is it your birthday?'

'No,' zeg ik. 'I've been kept in this prison for exactly a week now.'

De bewaker grijnst. Het is de eerste keer dat ik hem zie lachen en het maakt me enigszins onzeker. Lacht hij omdat hij het een goeie grap vindt van mij of is het treiterig bedoeld?

Zijn reactie stelt me gerust. 'It'll soon be over,' zegt hij en klopt me op mijn schouder. 'Just enjoy this breakfast. It may be one of your last at her majesty's expense.'

Ik zit direct rechtop. 'What? Do you know something I don't?'

'I can't tell you anything more, son.' Hij steekt zijn vinger in de lucht en verlaat mijn cel.

Ik heb het gevoel dat ik gek word; enkele ogenblikken na zijn vertrek lukt het me nog steeds niet mijn blik los te trekken van de dichte deur waarachter hij is verdwenen.

Zou hij gelijk hebben? Kom ik echt vrij? Is mijn vader al weg? Kan ik met hem mee terug naar Nederland?

Als ik een halfuur later word gehaald voor mijn dagelijkse gesprekje met Waiter en Kuiper, wandel ik met verende passen door de gangen. Ik ben ervan overtuigd dat dit de laatste keer is en maak me al een beetje zorgen over mijn spullen die in mijn cel zijn achtergebleven.

'Good morning,' zeg ik vrolijk tegen Waiter en Kuiper. 'How's life today?'

'Zoooo,' zegt Kuiper. 'Wat is er met jou aan de hand?'

Ik lach een beetje schaapachtig, wil niet verraden dat ik weet wat ze me straks gaan vertellen.

'Sit down,' zegt Waiter.

'We hebben gisteren met je vader gesproken.'

'Weet ik,' zeg ik. 'I know.'

'Hij heeft beaamd dat jij Achmed Karaoui kent.'

'Dat had ik toch zelf ook al?' Als mijn hersenen een alarmklok waren geweest dan ging die nu af. Er klopt iets niet. Waarom knijpen die kerels tegenover me hun ogen zo dicht? Waarom zitten ze op het randje van hun stoelen? Waarom tikken hun vingers zo onrustig op het tafelblad?

'Is er iets?' vraag ik. 'Zijn jullie iets aan de weet gekomen?'

'Achmed Karaoui is gistermiddag opgepakt. Hij wordt op dit moment verhoord.' Weer kijkt hij me met van die rare kleine oogjes aan.

'Ja, en?'

'Verbaast dat je niet?'

'Het spijt me vreselijk,' sneer ik. 'Maar op dit moment kan ik me niet zo druk maken om een jongen met wie ik ooit bevriend ben geweest. Ik heb genoeg aan mezelf.'

'Heeft hij dan niets met jouzelf te maken?'

Ik spring op. 'Wat denken jullie toch? Ik ben geen terrorist! Krijgen jullie dat nou nog niet in die botte koppen gestampt?'

'Sit down,' zegt Waiter.

'Ik ga helemaal niet zitten!' schreeuw ik. 'Ik wil naar huis!' Het wordt me met de seconde duidelijker dat ik dat op mijn buik kan schrijven.

Waiter knipt met zijn vingers. De wacht bij de deur loopt naar me toe, duwt me omlaag en ketent me met mijn pols vast aan de tafelpoot.

'Het heeft geen zin om je zo op te winden, Jamal,' zegt Kuiper.

'O nee?' snauw ik.

'Nee,' zegt hij rustig. 'We hebben op dit moment geen enkel bewijs van jouw schuld kunnen vinden. Als Karaoui niets heeft, kan het best zijn dat je binnenkort op vrije voeten bent.'

'Ik geloof er niet meer in,' zeg ik en voel hoe mijn keel zich dichtknijpt. 'Steeds is er iets anders.'

'Kun jij ons iets vertellen over Achmed Karaoui?'

'Zeg maar wat ik moet zeggen.' Ik voel me in staat alles te bekennen als ze me maar laten gaan.

Kuiper schudt zijn hoofd. 'Zo gaat het spelletje niet, Jamal. Je moet zelf vertellen.'

Ik haal mijn schouders op en staar naar de tafel. Ik weet niet wat ik moet zeggen.

Na een lange stilte neemt Kuiper het woord weer. 'We laten je terugbrengen naar je cel. Als je je iets herinnert dat waardevol kan zijn voor ons, kun je een seintje geven aan de bewaker. We zullen het complex duidelijk maken dat ze ons altijd kunnen bellen.'

Daar zit ik dan weer. In mijn eigen cel die ik gedacht had nooit meer te zullen zien.

Ik denk aan Achmed. Het geeft me ergens een beetje troost dat hij in dezelfde situatie zit als ik, maar ik ben ook kwaad en ik voel me schuldig tegenover zijn familie. Mijn oude vriend mag dan zelf rare dingen doen, zijn moeder en zussen zijn aardig. Ik gun hun niet de spanning die ze nu hoogstwaarschijnlijk moeten doorstaan.

Mijn gedachten draaien in een kringetje rond en komen steeds uit bij iets wat ik vannacht ben tegengekomen in de Koran:

Zij die gelovig zijn, wie geloven aan Allah, voor hen is hun loon bij
hun Heer en over hen is geen vrees en niet zijn zij bedroefd.'
Zou het waar zijn? Zou ik me niet zo ellendig hebben gevoeld als
ik nog steeds naar de moskee ging en mijn gebeden zei? Ik pak de
koran en zoek de woorden nog eens op.
'… over hen is geen vrees en niet zijn zij bedroefd…'
Ik spreek de woorden keer op keer hardop uit totdat ze in mijn
hoofd dreunen en ik mijn verwarring, boosheid en angst in mijn
lijf voel zakken als een stuk brood dat door mijn slokdarm naar
mijn maag daalt.

Aan het eind van de middag word ik opgehaald.
'A visitor,' zegt de bewaker.
Ik voel me kalm als nooit tevoren. Het is alsof alles wat me bezig-
hield – de onzekerheid, heimwee, eenzaamheid, de angst dat ik
nooit meer vrijkom – uit mijn geest is verdwenen. Alsof ik een
ander ben geworden. Ik heb het gevoel dat er een gigantische
ruimte om me heen is ontstaan waarin niemand kan doordrin-
gen.
'In here,' zegt de bewaker en opent de deur van de spreekkamer.
Het verbaast me niet dat Eline van de ambassade daar zit.
'Hoi,' zegt ze. 'Hoe is het vandaag met je?'
'Goed,' zeg ik.
Ze kijkt me aan. 'Wat is er? Je klinkt anders.'
'Niets. Het gaat goed.'
Ze slaakt een zucht. 'Ben je vandaag nog ondervraagd?'
Ik knik. 'Vanmorgen.'
'Is er iets uitgekomen? Heb je iets gehoord over je vrijlating?'
'Ze ondervragen nu in Nederland mijn oude schoolvrienden. Dat
is alles.'
'Niets over het moment dat je vrijkomt?' In haar stem hoor ik iets
van moedeloosheid. Het interesseert me niet.

Ik schud mijn hoofd.

Weer zucht ze. 'Wij hebben op de ambassade ook nog niets naders te horen gekregen. Alleen dat het niet lang meer zal duren.'

'Voor mij duurt het al veel te lang,' zeg ik.

Ze buigt zich naar voren en legt haar hand op de mijne. Snel trek ik hem terug. Die aanraking voelt niet goed. Ik wil niet dat ze in mijn ruimte komt.

Ze deinst achteruit op haar stoel. 'Sorry,' zegt ze. 'Ik wil alleen maar duidelijk maken dat ik je gevoelens begrijp.'

Ik knik.

'Ik heb een bericht voor je van Sanne. Wil je het hebben?'

'Natuurlijk.' Ik zie aan haar gezicht hoe afwerend ik moet overkomen.

'Hier.' Ze overhandigt me een dun faxpapiertje waarop Sannes woorden staan.

'Ik lees het boven,' zeg ik en wil opstaan.

'Hé,' zegt ze. 'Ik weet dat je zelf geen brieven mag schrijven. Zal ik namens jou een boodschap doorgeven aan Sanne? Ik kan haar faxen zodra ik weer op kantoor ben.'

Ik schud mijn hoofd. 'Ik weet niet wat ik haar moet zeggen.'

'Hoe het met je gaat,' dringt ze aan. 'Ik weet dat Sanne erg met je bezig is.'

'Zeg haar maar dat het goed gaat,' zeg ik. 'De rest vertel ik haar wel als ik terug ben in Nederland.'

'Goed,' zegt ze. 'Jamal, hou je taai, oké? Laat je er niet onder krijgen. Je bent een sterk joch en ik geloof dat je niets verkeerds heb gedaan.'

Ik kijk haar aan. Haar ogen staan bezorgd.

'Het komt wel goed,' mompel ik.

Dat is vermoedelijk wat ze wil horen. Wie ben ik om haar daarin niet haar zin te geven?

Eenmaal op mijn kamer vouw ik het faxbericht open.

Lieve Jim,

*Hoe is het daar bij jou? Het klinkt vast stom maar ik weet
niet zo goed hoe ik anders moet beginnen. De hele situatie
is zo stom! Hier in Deventer gaat alles gewoon verder.
Gisteren op school was het alsof we nooit weg zijn geweest,
of jij en ik nooit zijn opgepakt, of jij niet al een week in een
Engelse gevangenis zit. Wel hebben we er bij Van Kolk even
over gesproken, maar na tien minuten maakte die duidelijk
dat we nu toch echt geen tijd meer verloren mochten laten
gaan met het oog op de proefwerkweek die eraan komt.
Alsof wij die nu belangrijk vinden. In de pauze kon iedereen uit onze klas alleen maar over jou praten.*
*We hebben hier ondanks alle publiciteit van vorige week
niets meer gehoord over jouw vrijlating. Stille diplomatie
noemt Van Kolk dat. Nederland onderhandelt in stilte over
de situatie. Stom gedoe! Waarom moeten wij in stilte
afwachten?*
*Weet jij wel meer? Laten ze tegen jou wel iets los? Kon je
dat maar tegen me zeggen, het is zo vreemd om tegen je te
praten maar geen antwoord terug te krijgen.*
*Ik ben zaterdag trouwens naar jouw huis geweest. Samen
met Vincent. We wilden kijken of we iets voor jouw familie
konden doen. Nee dus.*
*Wel hebben we twee van jouw broertjes ontmoet. Wat is die
Tarek een brutale aap, zeg! Luistert hij wel naar jou als je
iets zegt?*
*Nou, ik ga maar weer eens stoppen. Morgen een overho-
ring scheikunde. Ik snap er niets van, kan me ook niet concentreren. Het zal wel weer een dikke vier worden. Jij mist*

hem maar mooi. Dat is dan weer een gelukje bij een onge-
lukje. Of niet?

Ik denk elk uur zeker negenenvijftig minuten aan je. Hou
je goed, hè!

Kuzzzz,
Sanne

Ik verfrommel de brief en smijt hem op mijn bureau. Vincent laat
er geen gras over groeien. Ziet hij eindelijk zijn kans schoon om
Sanne in te pakken? Ik knijp mijn handen tot vuisten. Ontspan ze
dan weer. Wat kan ik eraan doen vanuit mijn cel? Vanuit Enge-
land?
Vincent gaat zijn gang maar.
Sanne gaat haar gang maar.
Laat ze elkaar maar pakken.
Mij boeit het niet meer.

Iedereen kan verrekken.

JAMAL

'Zo,' zegt Kuiper de volgende dag. 'Goed geslapen?'
Ik brom iets onverstaanbaars en ga zitten. Het gaat ze geen donder aan of ik goed heb geslapen of niet.
'Om maar meteen met de deur in huis te vallen zoals we in goed Nederlands zeggen: we hebben je gisteren verteld dat Achmed Karaoui werd verhoord. In jouw belang is hij eerst uitgebreid bevraagd naar zijn contacten met jou.'
Hij last even een pauze in alsof hij op een applausje van mij zit te wachten. Ik verroer me niet.
Na een paar stille ogenblikken gaat hij verder. 'Hij heeft niets ernstigs over jou kunnen vertellen. We begrijpen dat jullie elkaar nauwelijks meer spreken.'
'Zoals ik zei,' kan ik niet nalaten op te merken.
'Zoals je al zei,' bevestigt hij. 'Maar we moesten het duizend procent zeker weten. Dat doen we nu.'
'En dus…'
'Je mag gaan,' zegt Kuiper. 'Je wordt straks teruggebracht naar je cel om je spullen te pakken. Als het goed is komt Eline van Wieringen van de Nederlandse ambassade je daar ophalen. Zij brengt je naar het vliegveld en vanavond ben je weer thuis. Er is al een bericht naar je ouders en de Nederlandse politie gegaan.'
'Fijn,' zeg ik maar ik voel me zacht gezegd nogal dubbel. Ik weet niet meer of het leven dat ik leidde het leven is waar ik naar terug kan. In mijn vorige leven was ik Nederlander met Marokkaanse

166

ouders, nu voel ik me een Marokkaan die toevallig in Nederland woont. Dat is anders.

'Je kunt gaan,' zegt Kuiper. Hij staat op en steekt zijn hand naar me uit. Ik negeer hem. Wat mij betreft mag hij door de grond zakken en die eikel van een Waiter ook.

Zonder een woord te zeggen loop ik langs hen heen en laat me terugbrengen naar het cellencomplex. De kleren die ik vorige week dinsdag droeg, liggen opgevouwen op mijn bed. Ik verwissel de witte overall voor mijn spijkerbroek. De rest van mijn spullen is binnen twee minuten gepakt. De brieven van Sanne pak ik even beet maar leg ik dan weer terug. Ik hoef ze niet mee. Geen idee of ze mijn vriendin nog is.

De koran vouw ik zorgvuldig in het vloeipapier en ik leg hem boven op mijn spullen in de plastic zak die de bewaker me heeft gebracht.

Dan loop ik mijn cel uit. Geen bewaker te zien. Niemand die me vraagt waar ik naartoe ga, die me met alle geweld wil begeleiden. De deuren tussen de verschillende afdelingen en het trappenhuis schuiven automatisch open als ik mijn naam noem door de intercom en mijn gezicht aan de camera toon.

Bij de balie beneden krijg ik mijn wegwerpfototoestel, mijn portemonnee, mijn mobiel en de hanger die ik voor Sanne had gekocht, terug. Het fototoestel en de hanger voor Sanne geef ik aan de dame achter de balie. 'Doe er wat leuks mee,' zeg ik in het Nederlands.

De dame schuift de spullen weer mijn kant op. Ik pak ze op en gooi ze in een prullenbak.

'You can wait here,' zegt de dame. 'Someone will come and get you.'

'No thanks,' zeg ik. 'I'd rather walk.'

'Sure?'

'Yes.'

Ze haalt haar schouders op en drukt op een knopje. De deur naar de vrije wereld zoeft open.

Ik til de plastic zak van de grond, haal diep adem en stap de drempel over.